John Fante

LA STRADA PER LOS ANGELES

Traduzione di Francesco Durante

LEONARDO

Titolo dell'opera originale
The Road to Los Angeles
I edizione maggio 1989

ISBN 88-355-0017-6

LA STRADA PER LOS ANGELES

Uno

Ho fatto un sacco di lavori al porto di Los Angeles perché la nostra famiglia era povera e mio padre era morto. Il mio primo lavoro, poco dopo la maturità, fu quello di spalatore di fossi. Di notte non potevo dormire per via del mal di schiena. Stavamo facendo uno scavo in un terreno, non c'era neanche un po' d'ombra, il sole picchiava dall'alto di un cielo senza nuvole, e io giù in quella buca a scavare insieme con due cani da valanga che avevano una vera passione per lo scavo, sempre là a ridere e a raccontarsi barzellette, ridendo e fumando un tabacco puzzolente.

Incominciai come una furia; loro ridevano, e dissero che dopo un po' avrei imparato una cosa o due. Pala e piccone diventarono pesanti. Succhiavo le mie vesciche piagate e odiavo quegli uomini. Una volta a mezzogiorno mi sedetti, stanco, a guardarmi le mani. Dissi a me stesso: perché non lo lasci perdere, questo lavoro, prima che ti uccida?

Mi alzai e lanciai la pala nella terra.

«Ragazzi» dissi «io ho chiuso. Ho deciso di accettare un lavoro per l'Ente Porto.»

Il lavoro successivo fu quello di lavapiatti. Tutto il tempo a guardare fuori da un buco di finestra attraverso la quale, giorno dopo giorno, vedevo mucchi di immondizie, e le mosche che ci ronzavano intorno, ed ero come una massaia davanti alla sua pila di piatti, con le mani che mi si ribellavano quando li guardavo nuotare come pesci morti in quell'acqua bluastra. Un cuoco grasso era il capo. Sbatteva padelle e mi faceva lavorare. Ero felice quando una mosca atterrava sulla sua grossa guancia rifiutandosi di ripartire. Quel lavoro lo feci per quattro settimane. Arturo, mi dissi, il futuro di questo lavoro è assai limitato; perché non lo lasci stasera stessa? Perché non dici a quel cuoco di andare a farsi fottere?

Non mi riuscì di aspettare fino a sera. A metà di quel pomeriggio d'agosto, con una montagna di piatti da lavare davanti a me, mi tolsi il grembiule. Mi venne un sorriso.

«Che c'è di tanto divertente?» disse il cuoco.

«Ho chiuso. Finito. Ecco che c'è di tanto divertente.»

Uscii dalla porta posteriore, un campanello trillò. Lui rimase a grattarsi la testa in mezzo all'immondizia e ai piatti sporchi. Ogni volta che pensavo a tutti quei piatti mi veniva da ridere, mi è sempre sembrato così divertente.

Diventai scaricatore di camion. Tutto ciò che si doveva fare era spostare scatole di carta igienica dal magazzino ai negozi dei droghieri del porto a San Pedro e a Wilmington. Grosse scatole larghe tre piedi che pesavano cinquanta libbre l'una. A sera me ne stavo steso sul letto a pensarci su, a girarmi e rigirarmi.

Il mio capo guidava il camion. Le sue braccia erano tatuate. Indossava certe magliette attillate di colore giallo. Accarezzava i suoi muscoli gonfi come fossero i capelli di una ragazza. Mi veniva da dirgli cose che potessero offenderlo. Le scatole erano impilate per cinquanta piedi nel magazzino, fino al soffitto. Il capo incrociava le braccia e io portavo giù le scatole fino al camion. Lui le accatastava. Arturo, dissi, devi deciderti: l'aria da duro ce l'ha, ma che te ne importa?

Quel giorno cascai e una scatola mi colpì allo stomaco. Il capo grugnì e scosse la testa. Mi faceva venire in mente un giocatore di football di college, e là, per terra, mi chiesi come mai non portasse una iniziale sul petto. Mi alzai sorridendo. A mezzogiorno consumai il pranzo lentamente, mi faceva male nel punto in cui la scatola mi aveva colpito. Faceva fresco sotto il rimorchio ed era là che stavo sdraiato. L'ora del pranzo passò velocemente. Il capo venne fuori dal magazzino e vide i miei denti affondati in un panino e la pesca — il dessert — ancora intatta al mio fianco.

«Non ti pago mica per startene seduto all'ombra» disse.

Mi ricomposi e mi tirai su. Le parole erano là, pronte. «Me ne vado» dissi. «Lei e i suoi stupidi muscoli potete andarvene all'inferno. Io ho chiuso.»
«Bene» disse lui «lo spero.»
«Ho chiuso.»
«Grazie a Dio.»
«C'è un'ultima cosa.»
«Cosa?»
«A mio avviso lei è un figliodiputtana ipertrofico.»
Non gli riuscì di acchiapparmi. Mi domandai in seguito che ne fosse stato della pesca. Mi domandavo se l'avesse pestata coi tacchi. Passarono tre giorni e andai a vedere. La pesca giaceva intatta sul ciglio della strada, un centinaio di formiche ci stavano banchettando sopra.

Trovai poi un lavoro da commesso di drogheria. L'uomo che gestiva il negozio era un italiano con la pancia come un paniere. Quando Tony Romero non era occupato, incombeva sul bidone del formaggio prendendone a pezzettini con le dita. Faceva buoni affari. La gente del porto comprava al suo negozio quando aveva bisogno di cibarie d'importazione.
Una mattina barcollò dentro e vide me con un blocco e una matita. Stavo facendo l'inventario.
«L'inventario» disse. «Che roba è?»
Glielo spiegai, ma non gli piacque. Si guardò intorno. «Va' a lavorare» disse. «Mi sembrava di averti detto di spazzare il pavimento come prima cosa ogni mattina.»
«Vuol dire che non vuole che faccia l'inventario?»
«No. Va' a lavorare. Niente inventario.»
Ogni giorno alle tre c'era una gran ressa di clienti. Troppo lavoro per un uomo solo. Tony Romero lavorava duro ma barcollava, il collo gli galleggiava nel sudore e la gente se ne andava perché non poteva perder tempo ad aspettare. Tony non riusciva a trovarmi. Si affrettò verso il retro del negozio e picchiò sulla porta del bagno. Stavo leggendo Nietzsche, stavo memorizzando un lungo brano sulla voluttà. Sentii i colpi sulla porta ma li ignorai. Tony Romero mise una cassetta per le uova davanti alla porta e ci montò so-

pra. La sua grossa mascella si sporse dall'alto e, guardando in basso, mi vide dall'altra parte.

«*Mannaggia Jesu Christi!*» strillò. «Vieni fuori!»

Gli dissi che sarei venuto fuori immediatamente. Andò via ruggendo. Ma non fui licenziato per quello.

Una sera stava controllando l'incasso della giornata sul registro contabile. Era tardi, quasi le nove. Volevo andare in biblioteca prima che chiudessero. Bestemmiò tra sé e mi chiamò. Mi feci avanti.

«Mi mancano dieci dollari.»

Dissi: «Divertente».

«Non qui.»

Controllai attentamente i suoi conti per tre volte. Il deca mancava per davvero. Ispezionammo il pavimento, sparpagliando segatura dappertutto. Poi guardammo di nuovo dentro il tiretto della cassa, alla fine lo cacciammo fuori e guardammo nel vano. Non riuscivamo a trovarlo. Gli dissi che magari lo aveva dato a qualcuno per sbaglio. Era sicuro di no. Infilò le dita nelle tasche della camicia e poi le tirò fuori. Sembravano würstel. Si diede dei colpetti sulle tasche.

«Dammi una sigaretta.»

Dalla tasca di dietro estrassi il pacchetto, e con esso uscì la banconota da dieci dollari. L'avevo ficcata dentro il pacchetto delle sigarette, ma era scivolata fuori. Cadde sul pavimento in mezzo a noi due. Tony schiacciò la sua matita fino a farla spezzare. La faccia gli divenne paonazza, le guance sbuffavano. Indietreggiò con il collo e mi sputò in faccia.

«Vattene via, sorcio schifoso!»

«Va bene» dissi. «Quello però ci sarà lei.»

Presi il libro di Nietzsche da sotto il banco e mi avviai alla porta. Nietzsche! Che ne sapeva lui di Friedrich Nietzsche? Appallottolò la banconota da dieci dollari e me la tirò. «La tua paga di tre giorni, ladro!» Feci spallucce. Nietzsche in un posto del genere!

«Me ne vado» dissi. «Non si ecciti.»

«Fuori di qui!»

Distava da me un buon cinquanta piedi.

«Senta» dissi «mi punge vaghezza di andarmene. Sono stufo della sua vana, elefantiaca ipocrisia. È una settimana che ho voglia di abbandonare questo lavoro balordo. Dunque vada pure dritto all'inferno, impostore di un macaroni!»

Smisi di correre quando raggiunsi la biblioteca. Era una succursale della Biblioteca Pubblica di Los Angeles. La signorina Hopkins era in servizio, i lunghi capelli biondi pettinati con cura. Sognavo sempre di metterci dentro il viso per sentirne il profumo. Avrei voluto sentirmeli fra le dita. Ma lei era così bella che a stento riuscivo a parlarci. Sorrise. Mi mancava il respiro e lanciai un'occhiata all'orologio.

«Pensavo di non farcela» dissi.

Lei mi disse che avevo ancora qualche minuto. Lanciai un'occhiata oltre la scrivania e fui contento che indossasse un vestito ampio. Se mi riusciva di farla camminare per la stanza con qualche scusa, forse avrei avuto la fortuna di vederle le gambe in controluce. Mi ero sempre domandato come fossero le sue gambe alla luce del neon. Non era indaffarata. C'erano soltanto due vecchi che leggevano il giornale. Registrò il libro di Nietzsche mentre riprendevo fiato.

«Mi mostrerebbe la sezione storica?» dissi.

Sorrise e annuì, e io la seguii. Fu una delusione. Il vestito non era del tipo giusto, era di un azzurro chiaro; la luce non penetrava. Osservai la curva dei suoi tacchi. Mi sentii come se stessi baciandoli. A Storia si voltò e percepì che avevo pensato a lei intensamente. Sentii che un gelo stava impadronendosi di lei. Tornò alla scrivania. Io tirai fuori dei libri e poi li rimisi a posto. Riusciva ancora a percepire i miei pensieri, io però non volevo pensare a nient'altro. Le sue gambe stavano accavallate sotto la scrivania. Erano meravigliose. Avrei voluto abbracciarle.

I nostri occhi si incontrarono e lei sorrise, con un sorriso che voleva dire: continua a guardare se vuoi; non posso farci niente, anche se mi piacerebbe prenderti a schiaffi. Volevo parlarle. Avrei potuto citarle certe favolose cose di Nietzsche; quel passo da Zarathustra sulla voluttà. Ah! Ma quello non avrei mai potuto citarglielo.

Alle nove lei suonò il campanello. Mi precipitai verso Filosofia afferrando qualcosa. Era un altro Nietzsche: *Uomo e Superuomo*. Sapevo che l'avrebbe colpita. Prima di timbrarlo, ne scorse qualche pagina.

«Accipicchia!» disse. «Che libri legge, lei!»
Dissi: «Hm. Non è niente. Non leggo mai cose frivole».
Lei sorrise un buonasera e io dissi: «È una serata magnifica, magnifica ed eterea».
«Davvero?» disse lei.
Mi diede un'occhiata strana, con la matita puntata sui capelli. Indietreggiai verso l'uscita, cascando nella porta e cercando di riprendere l'equilibrio. Fuori mi sentii peggio perché la serata non era magnifica, bensì fredda e nebbiosa, sulla strada i lampioni si distinguevano a malapena nella foschia. All'angolo c'era un'auto con il motore avviato e un uomo accanto. Stava aspettando la signorina Hopkins per riportarla a Los Angeles. Pensai che aveva l'aria di un deficiente. Aveva letto Spengler? Lo sapeva che l'Occidente era in declino? E lui che faceva? Niente! Era uno scemo, un minus habens. Al diavolo.
La nebbia mi avviluppò, s'infiltrò in me come se fossi stato una sigaretta che si consumava camminando. Mi fermai al Jim's Place sulla Anaheim. Al banco c'era un uomo che mangiava. L'avevo visto spesso ai docks. Era un cambusiere di nome Hayes. Mi sedetti accanto a lui e ordinai la cena. Mentre me la cucinavano andai al banco dei libri a curiosare. Erano ristampe economiche. Ne tirai fuori cinque. Andai quindi al banco delle riviste a guardare «Artists and Models». Trovai i due numeri in cui c'erano le donne meno vestite e quando Jim mi portò la cena gli dissi di incartarmeli. Lui vide il Nietzsche sotto il mio braccio: *Uomo e Superuomo*.
«No» dissi «questo me lo porto via così come sta.»
Lo poggiai sul banco con un tonfo. Hayes lanciò un'occhiata al libro e ne lesse il titolo: *Uomo e Superuomo*. Lo vedevo riflesso nello specchio: mi guardava. Stavo mangiando la mia bistecca. Jim stava osservando le mie mascelle per capire se la bistecca era tenera. Hayes stava ancora fissando il libro.
Dissi: «Jim, questa vivanda è davvero antidiluviana».
Jim mi chiese che cosa intendessi e Hayes smise di mangiare per ascoltare. «La bistecca» dissi «è arcaica, primeva, paleoantropica, antica. In breve, è attempata e senile.»

Jim sorrise che non aveva capito, e il cambusiere smise di masticare che era molto interessato.

«Cosa c'è?» disse Jim.

«La carne, amico mio. La carne. Questa vivanda davanti a me. È più dura di una cagna lupa.»

Quando lanciai un'occhiata a Hayes, lui abbassò la testa rapidamente. Jim era seccato per via della bistecca e si chinò verso il banco sussurrandomi che sarebbe stato contento di cucinarmene un'altra.

Io dissi: «Perbacco! Ebbene sia, mio caro! Ciò sopravanza le mie più ottimistiche aspettative».

Potevo vedere nello specchio che Hayes stava studiandomi. Si divideva tra me e il libro. *Uomo e Superuomo*. Masticavo e guardavo dritto avanti a me, senza prestargli alcuna attenzione. Per tutta la durata del pasto mi osservò intensamente. Una volta guardò fisso il libro per lungo tempo. *Uomo e Superuomo*.

Quando Hayes ebbe finito, andò verso l'uscita per pagare il conto. Lui e Jim stavano sussurrandosi qualcosa in piedi vicino al registratore di cassa. Hayes annuì. Jim ghignò e ripresero a sussurrare. Hayes sorrise e disse buonanotte, con un'ultima occhiata verso di me al di sopra della spalla dell'altro. Jim tornò indietro.

Disse: «Quello voleva sapere tutto di te».

«Davvero!»

«Dice che parli come uno piuttosto sveglio.»

«Davvero! E lui chi è, che cosa fa?»

Jim disse che era Joe Hayes, il cambusiere.

«Una professione un po' vile» dissi «infestata da asini e da scemi. Viviamo in un mondo di puzzole e antropoidi.»

Tirai fuori la banconota da dieci dollari. Lui mi riportò il resto. Gli offrii una mancia da venticinque cents ma non la volle prendere. «Un gesto del tutto casuale» dissi. «Un puro segno di confidenza. Mi piace il modo in cui fai le cose, Jim. Suscita una nota d'approvazione.»

«Cerco di essere gentile con tutti.»

«Beh, sono senza rimpianti, come avrebbe detto Cecov.»

«Che sigarette fumi?»

Glielo dissi. Me ne diede due pacchetti.

«Offro io» disse.
Le misi in tasca.
La mancia, però, non la voleva.
«Prendila!» dissi. «È solo un gesto.»
Rifiutò. Ci dicemmo buonanotte. Se ne andò in cucina coi vassoi sporchi e io mi avviai verso l'uscita. Sulla porta allungai una mano, afferrai due dolcetti dal loro contenitore e me li cacciai sotto la camicia. La nebbia mi sommerse. Mangiai i dolcetti camminando verso casa. Fui contento della nebbia perché il signor Hutchins non mi vide. Stava sulla porta del suo piccolo negozio di radio. Stava cercandomi. Gli dovevo quattro rate della nostra radio. Avrebbe potuto allungare una mano e toccarmi, ma non mi vide per niente.

Due

Abitavamo in un condominio di fianco a un posto dove abitavano un sacco di filippini. L'afflusso dei filippini era stagionale. Venivano a sud per la stagione della pesca e tornavano al nord, dalle parti di Salinas, per la stagione della frutta e della lattuga. Una famiglia di filippini stava giusto sotto di noi, nel nostro palazzo. Era una casa a due piani stuccata in rosa con certi grossi pezzi di stucco che si scrostavano dalle pareti per via dei terremoti. Ogni sera, lo stucco assorbiva la nebbia come un tampone. Al mattino le pareti erano di un rosso umidiccio anziché rosa. Rosse mi piacevano di più.

Le scale cigolavano come un nido di topi. Il nostro appartamento era l'ultimo del secondo piano. Non appena toccavo la maniglia della porta mi veniva la depressione. Casa mi ha sempre fatto quest'effetto. Anche quando era vivo mio padre e abitavamo in una casa vera, non mi piaceva lo stesso. Volevo sempre andarmene, o cambiare. Mi domandavo che casa sarebbe stata se fosse stata diversa, però non riuscivo mai a capire che cosa si dovesse fare per renderla diversa.

Aprii la porta. Era buio, l'odore dell'oscurità di casa, del posto in cui abitavo. Accesi la luce. Mia madre era sdraiata sul divano e la luce stava svegliandola. Si stropicciò gli occhi e si tirò su sui gomiti. Ogni volta che la vedevo mezza sveglia mi veniva da pensare a quando ero piccolo e al mattino andavo nel suo letto e la annusavo mentre dormiva; finché non divenni grande, e allora non potevo andare da lei al mattino perché ero troppo cosciente del fatto che era mia madre. Era un odore salato, oleoso. Non potevo neanche pensarci, a lei che invecchiava. Mi bruciava. Lei si mise a sedere e mi sorrise, coi capelli scomposti di una persona che stava dormendo. Tutto ciò che faceva mi ricordava il tempo in cui abitavo in una casa vera.

«Pensavo che non saresti più venuto» disse.

Dissi: «Dov'è Mona?».

Mia madre disse che era in chiesa e io dissi: «La mia propria sorella ridotta alla superstizione della preghiera! La mia propria carne, il sangue del mio sangue. Una suora, una beghina! Che barbarie!».

«Non incominciamo di nuovo» disse lei. «Non sei altro che un ragazzo che ha letto troppi libri.»

«Questo è quello che pensi tu» dissi. «Evidentemente è una fissazione, una monomania.»

Sbiancò.

«Una cosa?»

Dissi: «Lasciamo perdere. È inutile parlare con bifolchi, zotici e imbecilli. L'uomo d'ingegno si riserva alcune prerogative, ad esempio la scelta dei propri interlocutori».

Si tirò indietro i capelli con le sue dita lunghe come quelle della signorina Hopkins, ma ricoperte di bozzi e di grinze sulle nocche; portava inoltre un anello nuziale.

«Sei a conoscenza del fatto» dissi «che un anello nuziale non è soltanto volgarmente fallico, ma è pure l'impronta residuale di una selvatichezza primitiva, anacronistica per questi tempi di cosiddetto illuminismo e progresso intellettuale?»

Disse: «Cosa?».

«Non importa. Una mente femminile non può afferrare certe cose, nemmeno se gliele si spiega.»

Le dissi di ridere se voleva, ma un giorno o l'altro avrebbe cambiato tono, e portai i libri e le riviste nel mio studio privato, che poi era lo stanzino dei vestiti. Non c'era la luce elettrica, perciò usavo le candele. C'era un non so che nell'aria, come se qualcuno o qualcosa fosse entrato nello studio mentre ero via. Mi guardai intorno: avevo ragione, dato che il piccolo pullover rosa di mia sorella stava appeso a uno dei ganci.

Lo staccai dal gancio e gli dissi: «Che mi rappresenta che stai lì appeso? Chi ti ha autorizzato? Ti rendi conto che hai profanato la santità della casa dell'amore?». Aprii la porta e lanciai il maglione sul divano.

«Ingresso vietato ai vestiti in questa stanza!» strillai.

Mia madre si precipitò. Chiusi la porta e girai la chiave. Potevo sentire i suoi passi. La maniglia fu scossa. Presi a scartare il pacco. Le figure di «Artists and Models» erano una delizia. Staccai la mia preferita. Era distesa su un tappeto bianco, teneva una rosa rossa vicino a una guancia. La misi tra le candele sul pavimento e caddi in ginocchio. «Chloe» dissi «ti adoro. I tuoi denti sono come un gregge di pecore sul monte Gilead, e leggiadre sono le tue guance. Sono il tuo umile servitore, e ti serbo un amore senza fine.»

«Arturo!» disse mia madre. «Apri.»

«Che cosa vuoi?»

«Che stai facendo?»

«Sto leggendo. Sto compitando! Anche questo mi è negato in casa mia?»

Fece sbattere i bottoni del pullover contro la porta. «Non so cosa farmene di questo» disse. «Devi lasciarmi questo stanzino.»

«Impossibile.»

«Che stai facendo?»

«Sto leggendo.»

«Leggendo cosa?»

«Letteratura!»

Non se ne andava. Potevo vedere la punta dei suoi piedi al di sotto della fessura della porta. Non potevo parlare alla ragazza, con lei che se ne stava là fuori. Misi da parte la rivista e aspettai che se ne andasse. Niente. Non si muoveva proprio. Passarono cinque minuti. La candela fumigava. Il posto stava nuovamente riempiendosi di fumo. E lei non si era spostata di un pollice. Alla fine misi la rivista sul pavimento e la coprii con una scatola. Mi veniva voglia di strillarle contro, a mia madre. Almeno avrebbe potuto fare un movimento, un rumore, alzare un piede, che so?, fischiare. Presi un libro di narrativa e ci premetti le dita, come per farci un segno. Quando aprii la porta mi guardò in faccia con una brutta espressione. Ebbi la sensazione che sapesse tutto. Si mise le mani sui fianchi e annusò l'aria. I suoi occhi frugavano dappertutto, negli angoli, sul soffitto, sul pavimento.

«Che diavolo stai facendo qua dentro?»

«Sto leggendo! Metto alla prova la mia mente. Mi proibisci anche questo?»

«C'è qualcosa di tremendamente strano in tutto ciò» disse. «Stai di nuovo leggendo quegli sporchi giornaletti illustrati?»

«Non ammetto pruriti metodisti o puritani in casa mia. Sono stufo di questo fanatismo bacchettone. La tremenda verità è che mia madre è una fustigatrice dei costumi della peggior specie.»

«Mi danno la nausea» disse.

«Non incolpare le immagini. Sei una cristiana, una fanatica della Lega di Epworth, una fondamentalista. Frustrata dal tuo cristianesimo infingardo. In realtà sei una canaglia e una somara, una stupida e una deficiente.»

Lei mi trasse da parte ed entrò nello stanzino. Dentro c'era un odore di cera bruciata e di brevi passioni consumate sul pavimento. Sapeva che cosa stava nascosto in quell'oscurità. Poi corse fuori.

«Dio del cielo!» disse. «Fammi uscire di qui.» Mi spinse di lato e sbatté la porta. La sentii sbatacchiare pentole e casseruole in cucina. Quindi la porta della cucina venne sbattuta. Chiusi a chiave, tornai alle figure e accesi le candele. Dopo un po' mia madre bussò e disse che la cena era pronta. Le dissi che avevo già mangiato. Lei si aggirava vicino alla porta. Stava arrabbiandosi di nuovo. Capivo che era così. C'era una sedia sulla porta. Sentii che la metteva in posizione e ci si sedeva. Sapevo che stava seduta a braccia conserte, guardandosi le scarpe, coi piedi all'infuori in quel modo caratteristico che aveva di sedersi e aspettare. Chiusi la rivista e aspettai. Se poteva resistere lei, potevo anch'io. Con la punta del piede cominciò a tamburellare sul tappeto. La sedia scricchiolò. I colpi aumentavano. Tutt'a un tratto balzò in piedi e prese a martellare sulla porta. Aprii di corsa.

«Vieni fuori di lì!» urlò.

Uscii più presto che potei. Sorrise, stanca ma risollevata.

Aveva denti piccoli. Uno, in basso, era storto, come un soldato che non fosse in riga. Era solo cinque piedi e tre, ma sembrava più alta coi tacchi. L'età le si manifestava soprattutto sulla pelle. Aveva quarantacinque anni. La pelle le cascava un po' sotto le orecchie. Ero contento che non avesse i capelli grigi. Cercavo sempre capelli grigi ma non ne trovavo mai. La spinsi e le feci il solletico e lei rise e ricadde sulla sedia. Quindi andai al divano, mi ci allungai sopra e dormii un poco.

Tre

Fui svegliato da mia sorella quando tornò a casa. Avevo mal di testa e un dolorino alla schiena, come un muscolo indolenzito, e sapevo a che cosa era dovuto: il troppo pensare alle donne nude. L'orologio sulla radio segnava le undici in punto. Mia sorella si tolse il cappotto e si avviò verso lo stanzino dei vestiti. Le dissi di starne lontana, o l'avrei uccisa. Superciliosa, sorrise e portò il cappotto in camera da letto. Mi rigirai e buttai i piedi sul pavimento. Le chiesi dove fosse stata ma non rispose. Mi faceva sempre andare in bestia perché raramente mi badava. Non che la odiassi, anche se talvolta me ne veniva la voglia. Era una graziosa ragazzina di sedici anni. Era un po' più alta di me, capelli e occhi neri. Una volta aveva vinto un concorso al liceo perché aveva i denti più belli. Il suo sedere era come una pagnotta all'italiana, rotondo quanto bastava. Li vedevo, i compagni che glielo guardavano, e sapevo quanto li entusiasmasse. Lei però rimaneva fredda, e il suo modo di camminare era ingannevole. Non le piaceva che i compagni la guardassero. Pensava che fosse peccato: almeno così diceva. Diceva che era una cosa cattiva e sconveniente.

Quando lasciava aperta la porta della camera da letto la osservavo e qualche volta guardavo furtivamente dal buco della serratura oppure mi nascondevo sotto il letto. Lei stava in piedi di schiena davanti allo specchio a esaminarsi il didietro, passandoci sopra le mani e stringendoci attorno il vestito. Non metteva vestiti che non le stessero ben stretti sulla vita e sui fianchi, e spolverava sempre la sedia prima di sedervisi. Quindi si sedeva, contegnosa ma fredda. Cercai di farla fumare ma non volle. Cercai pure di consigliarla sulla vita e sul sesso, ma pensò che fossi matto. Era proprio uguale a mio padre, molto pulita e gran lavoratrice, a scuola e in casa. Dominava mia madre. Era più sveglia di mia madre, ma non ho mai pensato che potesse avvicinarsi, quanto a brillantezza e sottigliezza, alla mia mente. Dominava tutti tranne me. Ma dopo la morte di mio padre ci aveva provato. Non potevo pensarci: mia sorella! Fu così che decise che non era il caso di dominarmi. Una volta tuttavia mi feci dominare, ma fu soltanto per esibire la mia personalità flessibile. Era pulita come il ghiaccio. Litigavamo come cani e gatti.

In me c'era qualcosa che non le piaceva. Che le repelleva. Penso che avesse qualche sospetto sulle donne dello stanzino. Una volta mi presi gioco di lei dandole una pacca sul sedere. Divenne pazza di rabbia. Non appena lo ebbi fatto, prese un coltello da macellaio e mi cacciò fuori dall'appartamento. Non parlò per due settimane e disse a mia madre che non avrebbe mai più parlato con me, e neanche mangiato con me allo stesso tavolo. Alla fine le passò, ma non ho mai dimenticato quanto si era arrabbiata. Avrebbe potuto farmi a pezzi, quella volta, se mi avesse preso.

In lei c'era la stessa cosa che c'era in mio padre, e che non era né in mia madre né in me. Dico la pulizia. Una volta, ero un ragazzino, vidi un serpente a sonagli che lottava contro tre scotch terrier. I cani l'avevano tirato giù dalla roccia sulla quale stava prendendo il sole e stavano riducendolo in pezzi. Il serpente lottò duramente, senza mai venir meno al proprio temperamento; sapeva che era finita, e ciascun cane si portò via un brano sanguinante del suo corpo. Lasciarono solo la coda e tre sonagli, e quella parte di lui ancora si muoveva. Anche dopo essere stato sbranato, pensai, era una meraviglia. Salii sulla roccia, su cui c'era del sangue. Misi un dito nel sangue e lo assaggiai. Piansi come un bambino. Non l'ho mai dimenticato. Eppure, fosse stato vivo, non gli sarei mai andato vicino. Ecco: era qualcosa di simile quello che trovavo in mia sorella e in mio padre.

Pensavo che siccome mia sorella era così carina e autoritaria avrebbe fatto una vita favolosa. Ma era troppo fredda e troppo religiosa. Ogni volta che un uomo veniva a casa nostra per chiederle un appuntamento, lei non accettava. Restava lì sulla porta e non lo invitava nemmeno a entrare. Voleva farsi suora, questo era il guaio. Fu mia madre a trattenerla. Che aspettasse qualche anno ancora. Diceva che l'unico uomo che amava era il Figlio dell'Uomo, e che il Cristo sarebbe stato il suo unico sposo. Roba da suore, sicuro. Mona non avrebbe potuto pensare cose simili senza un'influenza esterna.

Il periodo delle medie lo passò con le suore di San Pedro. Dopo la licenza media, siccome mio padre non poteva permettersi di mandarla al liceo cattolico, andò al Wilmington. Non appena terminò, riprese ad andare a San Pedro dalle suore. Ci restava tutto il giorno, aiutandole a correggere compiti, a dare lezioni all'asilo e cose del genere. A sera andava a perdere tempo in una chiesa dalle parti di Wilmington, al porto, per decorare altari con ogni specie di fiori. Quella sera aveva fatto proprio questo.

Venne fuori dalla camera da letto in vestaglia.

Dissi: «Come sta Geova stasera? Che cosa ne pensa, Lui, della teoria dei quanti?».

Andò in cucina e attaccò a parlare di chiesa con mia madre. Discutevano sui fiori, quali fossero migliori per l'altare, se le rose rosse o quelle bianche.

Dissi: «Jahvè. La prossima volta che ti vedi con Jahvè digli che avrei qualche domandina da fargli».

Continuavano a parlare.

«Oh Signore Santissimo Geova, guarda la tua timoratissima adorante Mona ai tuoi piedi, sta blaterando il suo stupido vaniloquio. Oh Gesù, ella è santa. Cristolino zomparello, ella ti è consacrata.»

Mia madre disse: «Arturo, finiscila. Tua sorella è stanca».

«Oh Spirito Santo, oh triplice ego santamente infuso, facci uscire dalla Depressione. Eleggi Roosevelt. Conserva le nostre riserve auree. Colpisci la Francia ma, per l'amor di Dio, fa' prosperare noialtri!»

«Arturo, finiscila.»

«Oh Geova, nella tua infinita mutevolezza vedi un po' di cacciare qualche soldino per la famiglia Bandini.»

Mia madre disse: «Vergogna, Arturo. Vergogna».

Salii sul divano e urlai: «Io rigetto l'ipotesi Dio! Basta con la decadenza di questo cristianesimo fraudolento! La religione è l'oppio dei popoli! Tutto ciò che siamo o che speriamo di essere lo dobbiamo al demonio e ai suoi pomi proibiti!».

Mia madre cominciò a inseguirmi con la scopa. Quasi ci inciampava, minacciandomi con la saggina sulla faccia. Spinsi la scopa da parte e saltai sul pavimento. Quindi mi tolsi la camicia davanti a lei e rimasi nudo dalla cintola in su. Piegai il collo verso di lei.

«Sfogate la vostra intolleranza» dissi. «Perseguitatemi! Mettetemi su un letto di tortura! Esprimete il vostro cristianesimo! Fate che la Chiesa Militante mostri la sua anima sanguinaria! Mandatemi sulla forca! Infilate ferri incandescenti nei miei occhi. Bruciatemi sul rogo, cani cristiani!»

Mona entrò con un bicchier d'acqua. Tolse la scopa a mia madre e le diede l'acqua. Mia madre bevve e si calmò un poco. Quindi sputacchiò e tossì dentro il bicchiere e fu pronta per piangere.

«Mamma!» disse Mona. «Non piangere. È uno scemo.»

Mi guardò con una faccia di cera, senza espressione. Girai la schiena e andai alla finestra. Quando mi voltai stava ancora guardandomi.

«Cani cristiani» dissi. «Scolatoi bucolici! Esemplari di Scemus Americanus! Sciacalli, donnole, puzzole, asini: stupide che siete! Io solo in tutta la famiglia non sono stato marchiato dal flagello del cretinismo.»

«Sei pazzo» disse.

Andarono in camera da letto.

«Non chiamatemi pazzo» dissi. «Mezzesuore nevrotiche, frustrate, inibite, sciocche, bavose!»

Mia madre disse: «L'hai sentito? Che cosa tremenda!».

Andarono a letto. A me il divano-letto e a loro la camera da letto. Quando la porta si fu chiusa dietro di loro tirai fuori le riviste e le ammucchiai sul letto. Ero contento di poter ammirare le ragazze alla luce in una stanza grande. Era molto meglio di quello stanzino puzzolente. Parlai con loro per circa un'ora, andai in montagna con Elaine, e nei mari del sud con Rosa, e alla fine a un incontro di gruppo, con tutte loro radunate intorno a me. Dissi loro che non avevo preferenze e che ognuna, quando fosse venuto il suo turno, avrebbe avuto le medesime opportunità. Ma dopo un po' ne fui tremendamente stanco, perché cominciai a sentirmi sempre più un idiota, finché presi a odiare l'idea che erano soltanto figure, piatte e a una sola dimensione e tutte così uguali per colore e sorriso. E sorridevano come puttane. Tutto era diventato assai odioso e pensai: "Ma guardati! Eccoti qui seduto a parlare con un branco di prostitute. Un bel superuomo sei diventato! E se Nietzsche ti vedesse adesso? E Schopenhauer, che ne direbbe? E Spengler! Oh, Spengler ruggirebbe! Pazzo, idiota, porco, bestia, lurido sorcio spregevole, piccolo porco disgustoso!". D'un tratto feci un fascio di quelle figure e le stracciai, le feci a pezzi e le gettai nella tazza del cesso. Poi strisciai di nuovo a letto e scalciai via le coperte. Mi odiavo talmente che mi sedetti sul letto pensando alle cose peggiori che potessi pensare sul mio conto. Alla fine ero talmente esecrabile che non si poteva far altro che dormire. Ci vollero ore prima che mi appisolassi. Dovevano essere le tre. Dalla camera da letto mi arrivava il ronfo lieve di mia madre. In quel momento sarei stato pronto al suicidio, e fu pensando a questo che mi addormentai.

Quattro

Alle sei mia madre si alzò e mi chiamò. Mi voltai dall'altra parte, non volevo alzarmi. Lei prese le coperte e le tirò giù. Mi fece rimanere nudo sulle lenzuola, perché io dormo senza niente addosso. Niente di strano, ma il fatto è che era mattina e non ero ancora preparato, come lei poteva vedere, insomma non mi importava che mi vedesse nudo, non però nel modo in cui uno può esserlo al mattino. Misi una mano su quel posto, cercando di nasconderlo, lei però vide tutto. Era come se stesse deliberatamente cercando qualcosa che potesse mettermi in imbarazzo: proprio lei, mia madre.

Disse: «Vergognati, al mattino presto».

«Vergognati?» dissi. «Perché mai?»

«Vergognati.»

«Oh Dio, che altro riuscirete a escogitare voi cristiani! Adesso c'è da vergognarsi anche di essere addormentati!»

«Sai benissimo che cosa intendo» disse lei. «Vergognati, un ragazzo della tua età. Vergognati. Vergogna. Vergogna.»

«Beh, allora vergognati pure tu. E che si vergogni anche il cristianesimo.»

Se ne tornò a letto.

«Che si vergogni» disse a Mona.

«Che ha fatto ancora?»

«Che si vergogni.»

«Che cosa ha fatto?»

«Niente, ma che si vergogni lo stesso. Vergogna.»

Mi addormentai. Dopo un po' lei mi chiamò di nuovo.
«Stamattina non vado al lavoro» dissi.
«Perché?»
«Ho perso il posto.»
Silenzio mortale. Quindi lei e Mona si sedettero sul letto. Il mio lavoro significava tutto. C'era sempre lo zio Frank, ma per loro i miei profitti venivano prima. Dovetti pensare a qualcosa di credibile, perché sapevano entrambe che ero un bugiardo. Mia madre avrei anche potuto imbrogliarla, ma Mona non ci cascava mai, non mi avrebbe mai creduto nemmeno se le avessi detto la verità.
Dissi: «È appena arrivato dal paese il nipote del signor Romero. E ha preso il mio posto».
«Spero che non ti aspetti che ci crediamo!» disse Mona.
«Le mie aspettative non riguardano quasi mai gli imbecilli» dissi.
Mia madre si avvicinò al letto. La storia non era molto convincente, ma da parte sua c'era la buona volontà di darmi l'occasione di rifarmi. Non ci fosse stata Mona, sarebbe stato un gioco da ragazzi. Disse a Mona di acquietarsi e volle saperne di più. Mona parlava e stava mandando tutto a monte. Le gridai di stare zitta.
Mia madre disse: «Stai dicendo la verità?».
Mi misi una mano sul cuore, chiusi gli occhi e dissi: «Davanti a Dio Onnipotente e alla sua corte celeste giuro solennemente che non sto né mentendo né fantasticando. E se così fosse, spero che Egli mi fulmini entro questo preciso minuto. Prendete l'orologio».
Lei prese l'orologio dalla radio. Credeva ai miracoli, a ogni genere di miracoli. Chiusi gli occhi e sentii il mio cuore che batteva. Trattenni il respiro. Passavano i secondi. Dopo un minuto lasciai uscire l'aria dai polmoni. Mia madre sorrise e mi baciò sulla fronte. Ora, però, stava prendendosela con Romero.
«Non può farti questo» disse. «Non glielo permetterò. Ora ci vado e gli dico il fatto suo.»
Saltai fuori dal letto. Ero nudo ma non importava. Dissi: «Dio Onnipotente! Non hai un po' d'orgoglio, un po' di senso della dignità umana? Perché mai dovresti andarci dopo

che mi ha trattato con una trivialità così levantina? Vuoi forse infangare anche il nome della nostra famiglia?».

Si stava vestendo, in camera da letto. Mona rise e si passò le dita nei capelli. Andai di là, presi le calze di mia madre e le annodai prima che potesse fermarmi. Mona scosse il capo e ridacchiò. Le misi un pugno sotto il naso e le diedi l'ultimo avvertimento: che non si immischiasse. Mia madre non sapeva che altro fare. Le misi le mani sulle spalle e la guardai negli occhi. «Sono un uomo profondamente orgoglioso» dissi. «Basta, questo, a far vibrare una corda di solidarietà nel tuo senso di giustizia? Orgoglio! Il mio primo e ultimo verbo si leva dal cuore di quello strato profondo chiamato Orgoglio. Senza di esso, la mia vita sarebbe una bruciante disillusione. In breve, sto dandoti un ultimatum: se vai da Romero, mi ucciderò!»

Questo la spaventò a morte, ma Mona si voltò e poi rise e rise. Non dissi altro, tornai a letto e mi addormentai quasi subito.

Quando mi svegliai era all'incirca mezzogiorno e se n'erano andate da qualche parte. Tirai fuori la figura di una mia vecchia ragazza che chiamavo Marcella e andammo in Egitto a fare l'amore in una barca sospinta dagli schiavi sul Nilo. Bevvi vino dai suoi sandali e latte dal suo petto, poi gli schiavi remarono fino all'argine, dove le ammannii cuori di colibrì stagionati in latte di piccione dolce. Quando fu finita avevo un diavolo per capello. Avrei voluto darmi un pugno sul naso, picchiarmi fino a perdere coscienza. Volevo spezzarmi, sentire le mie ossa che si rompevano. Feci a pezzi la figura di Marcella e me ne sbarazzai, quindi andai all'armadietto delle medicine e presi una lama di rasoio, e ancor prima di rendermene conto mi incisi un braccio al di sotto del gomito, ma non profondamente, di modo che ci fu soltanto sangue senza dolore, poi presi un po' di sale e ce lo strofinai sopra, e sentii la carne che mi bruciava, mi faceva male e uscii da quel delirio sentendomi nuovamente vivo, e strofinai finché non ce la feci più. Quindi mi fasciai il braccio.

Mi avevano lasciato un biglietto sul tavolo. Diceva che erano andate dallo zio Frank e che nella dispensa c'era da mangiare per la colazione. Decisi di mangiare al Jim's Place, perché avevo ancora qualche soldo. Attraversai il cortile della scuola che stava di fronte al nostro appartamento e mi avviai da Jim. Ordinai prosciutto e uova. Mentre mangiavo Jim parlava.

Disse: «Tu leggi un sacco. Hai mai provato a scriverlo, un libro?».

Quello fu il momento. Decisi allora che volevo diventare uno scrittore. «Proprio adesso sto scrivendolo, un libro».

Voleva sapere che tipo di libro.

Dissi: «La mia prosa non è in vendita. Scrivo per la posterità».

Disse: «Non lo sapevo. Cosa scrivi? Racconti? O romanzi?».

«Entrambi. Sono ambidestro.»

«Oh. Non lo sapevo.»

Andai dall'altro lato del locale e comprai una matita e un taccuino per appunti. Voleva sapere che cosa stessi scrivendo. Dissi: «Nulla. Sto soltanto buttando giù qualche appunto per un lavoro a venire sul commercio estero. È un tema che mi intriga, una sorta di passatempo dinamico che mi sono scelto».

Quando uscii, stava fissandomi a bocca aperta. Me la presi comoda e scesi al porto. Eravamo in giugno, il mese più bello. Gli sgombri si allontanavano dalla costa sud e le industrie conserviere andavano a tutta forza, notte e giorno, e sempre, in quel periodo dell'anno, c'era nell'aria un puzzo di marcio, di olio di pesce. C'era chi lo considerava propriamente un puzzo, e c'era chi ne era nauseato, ma per me non era un puzzo, a parte l'odore di pesce che era sì cattivo, ma per me era straordinario. Mi piaceva, laggiù. Non era un solo odore, ma molti odori che si incontravano, tanto che a ogni passo ti arrivava un odore diverso. Era una cosa che mi faceva sognare, fantasticare su paesi lontani, sul mistero di ciò che era contenuto dagli abissi marini, e tutti i libri che avevo letto diventavano di colpo reali, e la gente migliore, come Philip Carey, Eugene Witla, e gli altri personaggi di Dreiser, la vedevo venir fuori dai libri.

Mi piaceva l'odore dell'acqua di sentina delle vecchie navi

cisterna, l'odore del petrolio greggio nei barili in partenza per lontane destinazioni, l'odore del petrolio sull'acqua che s'intorbidiva e diventava gialla e dorata, l'odore di legno fradicio e i rifiuti del mare anneriti dal petrolio e dal catrame, l'odore della frutta marcia, dei piccoli pescherecci giapponesi, delle bananiere e delle gomene consumate, dei rimorchiatori e dei rottami, e il lezzo misterioso e malinconico della bassa marea.

Mi fermai al bianco ponte che attraversava il canale alla sinistra delle Pacific Coast Fisheries, dalla parte di Wilmington. Una nave cisterna stava scaricando del carburante ai docks. Più avanti, sulla strada, alcuni pescatori giapponesi stavano riparando le loro reti, distese per l'ampiezza di alcuni isolati lungo la riva del mare. E i cambusieri americano-hawaiiani stavano caricando una nave diretta a Honolulu. Lavoravano a torso nudo. Sembravano qualcosa di straordinario su cui scrivere. Spiegai il mio nuovo taccuino per appunti sul parapetto, bagnai la matita sulla lingua e cominciai a scrivere un trattato sul cambusiere: "Interpretazione psicologica del cambusiere ieri e oggi, di Arturo Gabriel Bandini".

Si rivelò un soggetto ostico. Ci provai quattro o cinque volte ma dovetti desistere. Comunque, il tema richiedeva anni di ricerche; non era ancora il momento della prosa. La prima cosa da farsi era mettere insieme i fatti. Forse avrebbe richiesto due anni, tre, anche quattro; in effetti, era l'opera di una vita, un opus magnum. Era troppo ostico. Desistetti. Pensai che la filosofia era più semplice.

"Dissertazione morale e filosofica sull'uomo e sulla donna, di Arturo Gabriel Bandini". Il male è un problema dell'uomo debole, dunque perché esser deboli? Meglio esser forti che deboli, perché essere deboli significa difettare di forza. Siate forti, fratelli, poiché vi dico che se non sarete forti le forze del male avranno il sopravvento su voi. La forza è una forma di potere. Il difetto di forza è una forma di male. Il male è una forma di debolezza. Siate forti, affinché non siate deboli. Rifuggite la debolezza, e potrete diventare forti. La debolezza divora il cuore della donna. La forza alimenta il cuore dell'uomo. Volete forse diventare femmine?

Orsù, allora indebolitevi. Volete diventare uomini? Orsù, orsù. Allora rinforzatevi. Abbasso il Male! Viva la Forza! Oh Zarathustra, concedi ai tuoi uomini il dono della forza! Abbasso la donna! Hail Uomo!

E poi fui stanco di tutto ciò. Decisi che forse, dopotutto, non ero uno scrittore, bensì un pittore. Forse il mio genio era riposto nell'arte. Voltai pagina e pensai di fare qualche schizzo, giusto per allenamento, ma non mi riuscì di trovare nulla di buono da disegnare, soltanto navi e cambusieri e docks, e non mi interessavano. Disegnai gatti su staccionate, volti, triangoli e quadrati. Quindi mi venne in mente che non ero un artista o uno scrittore, bensì un architetto, dal momento che mio padre era stato falegname e forse il comparto edilizio sarebbe stato più adatto a raccogliere la mia eredità. Disegnai qualche casa. Erano tutte uguali, certi quadrati col camino da cui usciva il fumo. Misi da parte il taccuino.

Faceva caldo sul ponte, il calore mi si accaniva sul collo, di dietro. A fatica scavalcai il parapetto e scesi fino a certe rocce appuntite che erano rotolate in riva al mare. Grosse rocce, nere come il carbone per via delle immersioni nell'alta marea; alcune grosse come una casa. Stavano sparpagliate sotto il ponte in un disordine bizzarro, un campo di iceberg, purtuttavia parevano contente e indisturbate.

Arrancai sotto il ponte ed ebbi la sensazione di essere l'unico che l'avesse mai fatto. Le piccole onde del porto lambivano le rocce lasciando qua e là pozzanghere di acqua verde. Alcune rocce erano rivestite di muschio, su altre c'erano graziose macchie di cacca d'uccello. Mi arrivava l'odore greve del mare. Sotto i piloni era così freddo e buio che non è che ci vedessi molto. Dall'alto mi arrivava il rumore del traffico, il suono dei clacson, le urla degli uomini, lo schiocco degli autocarri sopra le traverse di legno. Un fragore terribile che mi martellava le orecchie; e se gridavo, la voce se ne andava avanti per qualche piede e mi ripiombava addosso, come se fosse stata fissata a una striscia di gomma. Arrancai lungo le rocce finché uscii dalla luce del sole. Era uno strano posto. Per un attimo ebbi paura. Poco più in là c'era una grande pietra, più grossa delle altre, con la cresta tutta segnata dalla cacca bianca dei gabbiani. Era la regina di tutte quelle pietre, incoronata di bianco. Mi avviai.

Tutt'a un tratto ogni cosa, ai miei piedi, prese a muoversi. Era il movimento rapido e molle di qualcosa che strisciava. Trattenni il respiro, sul chi vive, e cercai di orientare il mio sguardo. Erano granchi! Quelle pietre erano vive e ne brulicavano. Avevo una tale paura che non potevo muovermi, e il rumore dall'alto era nulla paragonato ai palpiti del mio cuore.

Mi addossai a una pietra e mi tenni la faccia tra le mani fino a quando la paura se ne fu andata. Quando tolsi le mani riuscii a vedere nell'oscurità: era grigio, faceva freddo, era come un mondo sotterraneo. Un posto grigio e solitario. Per la prima volta diedi un'occhiata adeguata alle cose viventi che l'abitavano. I granchi più grossi avevano la stazza di mattoni, silenziosi e crudeli si issavano sulla cima di quelle grandi pietre, muovendo voluttuosamente le antenne minacciose, quasi fossero braccia di ballerine di hula, con quei piccoli occhi maligni e ripugnanti. Erano un sacco più numerosi quelli piccoli, grandi all'incirca come la mia mano, che brulicavano attorno alle piccole pozze nere alla base delle rocce, arrancando l'uno sull'altro, spingendosi a vicenda in quello sciabordio nerastro, in lotta per conquistarsi una posizione sulle pietre. Si divertivano.

C'era un nido di granchi ancora più piccoli ai miei piedi, ciascuno grande come un dollaro, tutto un attorcigliamento di zampe mischiate assieme. Uno mi si aggrappò al risvolto dei pantaloni. Lo tirai via e lo tenni con le dita mentre si dibatteva disperatamente cercando di morsicarmi. Ma lo tenevo, e non aveva scampo. Tirai indietro il braccio e lo sbattei contro una pietra. Scricchiolò, morto fracassato; per un attimo rimase attaccato alla pietra, poi scivolò giù, stillando sangue e acqua. Raccolsi quel guscio rotto e assaggiai il fluido giallastro che ne usciva, salato come acqua di mare, e non mi piacque. Lo scagliai lontano, nell'acqua profonda. Galleggiò fino a quando uno sperlano non gli venne vicino, esaminandolo e prendendo poi a morsicarlo voracemente, fino a trascinarlo fuori dal mio campo visivo. Le mie mani insanguinate e attaccaticce puzzavano di mare. Di colpo sentii crescere in me una frenesia: dovevo uccidere questi granchi, tutti quanti.

I piccoli non mi interessavano, erano i grossi che volevo uccidere e uccidere. I grossi di quella compagnia erano forti e feroci e avevano mascelle possenti. Erano avversari degni del grande Bandini, Arturo il conquistatore. Mi guardai intorno ma non potei trovare un palo o un bastone. Sull'argine di cemento c'era un mucchio di sassi. Mi rimboccai le maniche e cominciai a scagliarli verso il granchio più corpulento che avessi visto, uno che stava dormendo su una pietra a venti passi da me. I sassi gli atterravano tutt'intorno, a non più d'un pollice, volavano schegge e scintille, ma lui neanche apriva gli occhi per vedere che cosa stesse succedendo. Mi ci vollero circa venti tiri prima di centrarlo. Fu un trionfo. Il sasso gli sfondò la schiena col rumore di un cracker che si spezza. Lo trapassò inchiodandolo alla pietra. Poi cadde in acqua: bolle verdastre e schiumose lo inghiottirono. Lo guardai scomparire e agitai il pugno in segno di minaccioso congedo mentre calava verso il fondo. Addio, addio! Di certo ci rivedremo in un altro mondo; non mi dimenticherai, Granchio. Per sempre, per sempre mi ricorderai come il tuo conquistatore!

Ucciderli coi sassi era troppo dura. I sassi erano così affilati da tagliarmi le dita nel raccoglierli. Mi lavai il sangue e il fango dalle mani e mi avviai nuovamente. Mi arrampicai sul ponte e mi misi a camminare per la strada verso un negozio di forniture navali che stava tre isolati più avanti e dove si vendevano armi e munizioni.

Dissi a quella faccia bianca di un commesso che volevo comprare un fucile ad aria compressa. Me ne mostrò uno molto potente e io cacciai i soldi e lo comprai senza batter ciglio. Il resto dei dieci dollari lo spesi in munizioni: pallini. Ero ansioso di tornare sul campo di battaglia, perciò dissi al faccia bianca di non impacchettarmi le munizioni ma di darmele così com'erano. Lui dovette pensare che era strano e mi lanciò un'occhiata mentre prendevo quei cilindretti dal bancone e uscivo dal negozio il più svelto possibile, ma senza correre. Fuori presi a correre e fu allora che ebbi la sensazione che qualcuno stesse osservandomi e mi guardai attorno, e ovviamente il faccia bianca stava sulla porta, mi stava scrutando nell'aria calda del pomeriggio. Rallentai l'andatura, la trasformai in una camminata rapida, ma svoltato l'angolo ripresi a correre.

Sparai ai granchi per tutto quel pomeriggio, fino a che la spalla su cui appoggiavo il fucile cominciò a dolermi e cominciarono a bruciarmi gli occhi per il troppo prendere la mira. Ero Bandini il Dittatore, l'Uomo d'Acciaio di Grancovia. E questo non era altro che un nuovo Bagno di Sangue per il bene della Patria. Ci avevano provato a depormi, quei granchi dannati: avevano avuto l'ardire di cercare di fomentare una rivoluzione, e io mi stavo vendicando. Ma pensa! C'era di che infuriarsi. Questi granchi maledetti da Dio avevano addirittura messo in dubbio il potere di Bandini il Superuomo! Che cosa gli era preso, che erano diventati così presuntuosi? Beh, avrebbero avuto una lezione indimenticabile. E questo sarebbe stato il loro ultimo tentativo di rivoluzione, perdio. Digrignai i denti. Ma pensa: una nazione di granchi in rivolta. Che ardire! Dio, ero fuori di me.

Caricai e ricaricai finché la spalla mi fece male e mi venne una vescica sul dito del grilletto. Ne uccisi più di cinquecento e ne ferii il doppio. Animosi, venivano all'attacco folli di rabbia e di paura mentre i morti e i feriti uscivano dai ranghi. Era un assedio. Mi si accalcavano intorno. Altri ne venivano fuori dal mare, altri ancora da dietro le rocce, muovendo in gran numero sul pianoro di sassi verso la morte, troneggiante su un'alta roccia fuori dalla loro portata.

Radunai un po' di feriti in una pozza, convocai un consulto militare, e poi decisi di affidarli alla corte marziale. Uno alla volta, li trascinai fuori dalla pozza, li sistemai davanti alla canna del fucile e premetti il grilletto. Ci fu un granchio dai colori brillanti e pieno di vita, che mi fece l'impressione di una donna: di sicuro era una principessa fra quei rinnegati, una granchia ardimentosa seriamente piagata, con una gamba in meno e un braccio penosamente penzoloni. Mi spezzò il cuore. Ebbi una nuova consultazione e decisi che, a causa della pressante urgenza della situazione, non ci sarebbe stata alcuna discriminazione fra i sessi. Anche la principessa doveva morire. Era spiacevole, ma si doveva fare.

Col cuore triste diedi l'annuncio, e là, in mezzo ai morti e ai morenti, innalzai una preghiera a Dio, chiedendogli di perdonarmi per questo, per il più bestiale dei crimini di un superuomo: l'esecuzione di una donna. Eppure, dopotutto, il dovere era il dovere, il vecchio ordine andava preservato, la rivoluzione andava schiacciata, il regime doveva continuare, e i rinnegati dovevano perire. Per qualche tempo parlai in privato con la principessa, estendendo a lei le scuse formali del governo Bandini e, attenendomi al suo ultimo desiderio – voleva che le permettessi di ascoltare *La Paloma* – gliela fischiettai con gran sentimento, tanto che, verso la fine, mi venivano le lacrime. Puntai il fucile contro il suo bel viso e premetti il grilletto. Morì all'istante, gloriosamente, in una fiammeggiante miscela di guscio e di sangue giallastro.

Per rispetto e ammirazione, feci sistemare una pietra sul luogo dove era caduta, incantevole eroina di una delle più indimenticabili rivoluzioni del mondo, perita nelle sanguinarie giornate di giugno del governo Bandini. Era stata scritta la storia, quel giorno. Feci il segno della croce su quella pietra, la baciai riverente, persino con un filo di passione, e restai a capo chino in quella momentanea pausa dell'attacco. Ironia di quel momento! Ebbi come un'illuminazione, e realizzai che quella donna io l'avevo amata. Eppure... animo, Bandini! L'attacco riprendeva. Poco dopo, colpii un'altra donna. Non era altrettanto seriamente ferita, più che altro era lo choc. Fatta prigioniera, mi si offrì anima e corpo. Mi scongiurò di risparmiarle la vita. Risi, diabolico. Era una creatura squisita, rossiccia e rosata, e soltanto una conclusione che già mi appariva scontata fece sì che aderissi alla sua toccante offerta. Là, sotto il ponte, nell'oscurità, la devastai mentre mi supplicava di avere pietà. Ancora ridendo la portai fuori e la feci a pezzi, scusandomi per la mia brutalità.

Quella carneficina finalmente si fermò allorché mi venne il mal di testa per avere troppo sforzato gli occhi. Prima di andarmene diedi un'ultima occhiata in giro. Quella scogliera in miniatura era tutta macchiata di sangue. Era un trionfo, una vittoria molto grande per me. Mi addentrai fra i caduti e parlai loro con accenti consolatori perché, per quanto fossero stati miei nemici, ero un uomo di nobile cuore e li rispettavo e ammiravo in virtù della resistenza valorosa che avevano opposto alle mie legioni. «La morte è arrivata per voi» dissi. «Addio, cari nemici. Foste coraggiosi nel combattere e ancor più coraggiosi nel morire, e il Führer Bandini non lo ha dimenticato. Apertamente egli tesse il vostro encomio, pur nella morte.» Ad altri dissi: «Addio, codardi. Sputo su voi, disgustato. La vostra codardia ripugna al Führer. Odiosa gli è la codardia quanto gli è odioso un morbo. Non vi perdonerà. Possano le maree mondare la terra dal crimine della vostra codardia, canaglie».

Mi riarrampicai verso la strada proprio mentre incominciavano a farsi sentire le sirene delle sei, e mi avviai verso casa. In uno spiazzo più avanti c'erano dei ragazzi che giocavano a palla, e diedi loro fucile e munizioni in cambio di un coltello da tasca che uno di loro dichiarò valere almeno tre dollari, ma non mi faceva fesso, perché sapevo che quel coltello non costava più di cinquanta centesimi. Tuttavia volevo sbarazzarmi del fucile, così conclusi l'affare. I ragazzi pensarono che fossi un fesso, e glielo lasciai pensare.

Cinque

L'appartamento odorava di carne cotta, e li sentii che parlavano in cucina. C'era lo zio Frank. Cacciai dentro la testa e dissi salve e lui disse lo stesso. Era seduto con mia sorella nell'angolino della prima colazione. Mia madre era ai fornelli. Lui era il fratello di mia madre, un uomo di quarantacinque anni con le tempie brizzolate, occhi grandi e piccoli peli che gli venivano fuori dalle narici. Aveva bei denti. Era gentile. Viveva da solo in un cottage dall'altra parte della città. Era molto affezionato a Mona e voleva sempre fare qualcosa per lei anche se lei raramente accettava. Ci aiutava sempre, ci dava soldi, e dopo la morte di mio padre praticamente ci aveva mantenuto per mesi. Voleva che andassimo a stare da lui, ma io ero contrario perché così avrebbe potuto farla da padrone. Quando mio padre morì, fu lui a pagare le spese del funerale e comprò anche la pietra per la tomba, cosa curiosa dal momento che, come cognato, non aveva mai avuto una grande opinione di mio padre.

La cucina era inondata di cibo. Sul pavimento c'era un grande cesto pieno di generi alimentari e il piano del lavello era ricoperto di verdure. Fu una cena abbondante. Parlarono soltanto loro. Io mi sentivo i granchi dappertutto, anche dentro il mangiare. Pensavo a quei granchi sotto il ponte, vivi e vegeti, che brancolavano nel buio dopo morti. C'era quello là, Golia. Era stato un grande guerriero. Ne ricordai la magnifica personalità: senza dubbio era stato il condottiero del suo popolo. Ora era morto. Mi chiesi se suo padre e sua madre ne stessero cercando le spoglie nell'oscurità, e pensai alla tristezza della sua bella, che magari era morta anche lei. Golia si era battuto con gli occhi carichi di odio. C'erano voluti un sacco di pallini per ucciderlo. Era un grande granchio, il più grande fra i granchi contemporanei, principessa compresa. Il Popolo dei Granchi avrebbe dovuto erigergli un monumento. Ma era forse più grande di me? Nossignore. Io ero il suo conquistatore. Ma pensa! Un granchio così possente, l'eroe del suo popolo, e io ero il suo conquistatore. Anche la principessa – la più incantevole granchia mai conosciuta – anche lei avevo ucciso. Quei granchi non mi avrebbero dimenticato per lungo tempo a venire. Se avessero scritto la propria storia, avrei avuto un sacco di spazio nei loro ricordi. Forse mi avrebbero potuto chiamare il Killer Nero del Pacifico. Piccoli granchi avrebbero sentito parlare di me dai loro progenitori e io avrei acceso il terrore nella loro memoria. Li avrei tenuti a freno con la paura, pur non essendo presente, e avrei cambiato il corso delle loro esistenze. Un giorno sarei diventato una leggenda nel loro mondo. E ci sarebbero state anche romantiche femmine di granchio affascinate dalla mia crudele esecuzione della principessa. Avrebbero fatto di me un dio, e alcune di loro, in segreto, mi avrebbero adorato e avrebbero nutrito un'autentica passione per me.

Lo zio Frank, mia madre e Mona continuavano a parlare. Sembrava un complotto. Una volta Mona mi lanciò uno sguardo, e quel suo sguardo voleva dire: Ti stiamo deliberatamente ignorando perché vogliamo che tu non ti senta a tuo agio; come se non bastasse, dopo pranzo dovrai vedertela con zio Frank. Poi lo zio Frank mi fece un sorrisetto. Capii allora che sarebbero stati guai.

Dopo il dolce le donne si alzarono e uscirono. Mia madre chiuse la porta. Tutto sembrava premeditato. Zio Frank venne al dunque accendendosi la pipa, spostando i piatti che c'erano fra noi e protendendosi verso me. Si tolse di bocca la pipa e mi scosse il cannello sotto il naso.

Disse: «Dunque, piccolo figliodiputtana; non sapevo che eri anche un ladro. Sapevo che eri un lavativo, ma perdio non sapevo che eri anche un ladruncolo che va a rubare».

Dissi: «Inoltre non sono un figliodiputtana».
«Ho parlato con Romero» disse «so quello che hai fatto.»
«Ti avverto» dissi. «Ti avverto con la massima chiarezza: desisti dal chiamarmi ancora una volta figliodiputtana.»
«Hai fregato dieci dollari a Romero.»
«La tua presunzione è colossale, una millanteria vergognosa. Non arrivo a capire perché ti concedi la libertà di insultarmi chiamandomi figliodiputtana.»
Disse: «Rubare al tuo datore di lavoro! Bella cosa».
«Te lo dico di nuovo, con estremo candore: malgrado la tua anzianità e i nostri vincoli di sangue, ti faccio espresso divieto di usare appellativi così obbrobriosi come "figliodiputtana" quando vuoi riferirti a me.»
«Un fannullone ladro per nipote! Disgustoso.»
«Per favore, caro il mio zio, sappi che dal momento che decidi di svilirmi con un "figliodiputtana", a me non resta altro che farti rilevare questa tua dannata scurrilità. In breve, se io sono un "figliodiputtana", vuol dire che tu sei il fratello di una puttana. E adesso fatti una risata.»
«Romero avrebbe potuto farti arrestare. Mi dispiace che non l'abbia fatto.»
«Romero è un mostro, un gigantesco impostore, uno stolido ingombro. Le sue accuse di pirateria mi divertono. Non riescono a scuotermi, le sue sterili denunzie. Devo però rammentarti ancora una volta di moderare l'oscena facondia della tua lingua. Non ho l'abitudine di essere insultato, e sia pure dai parenti.»
«Finiscila, piccolo matto!» disse. «Sto parlando di altro. Che cosa farai adesso?»
«Ci sono miriadi di possibilità.»
Sogghignò. «Miriadi di possibilità! Questa è bella! Di che diavolo stai parlando? Miriadi di possibilità!»
Feci un paio di tiri dalla sigaretta e dissi: «Presumo di intraprendere la mia carriera letteraria ora che ho chiuso con questa genia di proletari alla Romero».
«Che cosa?»
«I miei progetti letterari. La mia prosa. Continuerò nei miei sforzi letterari. Sono uno scrittore, sai.»
«Uno scrittore! Da quando in qua sei diventato uno scrit-

tore? Questa è nuova. Va' avanti, questa non l'avevo mai sentita prima.»

«L'istinto della scrittura» gli dissi «ha sempre covato, assopito, in me. Ora sta subendo un processo di metamorfosi. Un'era di transizione è passata. E io mi trovo sulla soglia dell'espressione.»

«Balle» disse.

Cacciai di tasca il taccuino nuovo e ne sfogliai le pagine con il pollice. Le sfogliai così rapidamente che non poté leggere nulla, ma vide che c'era scritto qualcosa. «Questi sono appunti» dissi. «Notazioni d'atmosfera. Sto scrivendo un dialogo socratico sul porto di Los Angeles a partire dai giorni della conquista spagnola.»

«Vediamo» disse.

«Niente da fare. Non prima della pubblicazione.»

«La pubblicazione! Ma che vai dicendo?»

Rimisi in tasca il taccuino. Puzzava di granchio.

«Perché non ti svegli e fai l'uomo?» disse. «Tuo padre lassù ne sarebbe contento.»

«Lassù dove?»

«Nell'aldilà.»

Me l'aspettavo.

«Non c'è nessun aldilà» dissi. «L'ipotesi del paradiso non è che banale propaganda messa in giro dai ricchi per illudere i poveri. Io metto in discussione l'immortalità dell'anima. Nient'altro che la persistente delusione di un genere umano coi paraocchi. Io rigetto con la massima chiarezza l'ipotesi Dio. La religione è l'oppio dei popoli. Le chiese dovrebbero essere trasformate in ospedali e fabbriche. Tutto ciò che siamo o che pure speriamo di essere lo dobbiamo al diavolo e ai suoi pomi proibiti. Nella Bibbia ci sono 78.000 contraddizioni. È questa la parola di Dio? No! Io rifiuto Dio! Lo denuncio con imprecazioni furiose e implacabili! Io ammetto un universo senza Dio. Sono un monista!»

«Tu sei pazzo» disse. «Sei un maniaco.»

«Tu non mi capisci» sorrisi «ma va bene lo stesso. È per me prevedibile l'incomprensione; sicuro, mi aspetto le peggiori persecuzioni lungo la mia strada. Va bene così.»

Svuotò la pipa e mi agitò il dito sotto il naso. «Quello che devi fare è smetterla di leggere tutti questi libri dannati, smettere di rubare, diventare uomo, e andare a lavorare.»

Spezzai la mia sigaretta. «Libri!» dissi. «E che ne sai *tu* dei libri? Tu! Un ignorantone, uno Scemus Americanus, un asino, un villano zoticone fornito dell'intelligenza di una puzzola!»

Rimase fermo a riempire la pipa. Io non dicevo nulla perché era il suo turno. Mi studiò per un poco pensando a qualcosa.

«Ti ho trovato un lavoro» disse.

«Di che si tratta?»

«Non lo so ancora. Vedrai da te.»

«Bisogna che si attagli al mio talento. Non dimenticare che sono uno scrittore. Ho avuto una metamorfosi.»

«Non mi interessa che cosa ti è successo. È lavoro. Forse alle industrie del pesce.»

«Non ne so niente delle industrie del pesce.»

«Bene» disse. «Meno ne sai e meglio è. Ti servono soltanto una schiena forte e una testa debole. Le hai entrambe.»

«Questo lavoro non mi interessa» gli dissi. «Dovrei piuttosto scrivere. Prosa.»

«Prosa, prosa... Che è questa prosa?»

«Sei un babbione conformista. Non la conoscerai mai, la buona prosa, in tutta la tua vita.»

«Mi sa che dovrei cambiarti quella testa di legno.»

«Provaci.»

«Piccolo bastardo.»

«Bifolco americano.»

Si alzò e lasciò il tavolo con occhi di fuoco. Andò quindi nella stanza a fianco a parlare con mamma e Mona, dicendo loro che ci eravamo intesi e che d'ora in avanti avrei voltato pagina. Diede loro un po' di soldi e disse a mia madre di non preoccuparsi di niente. Io andai sulla porta e feci un cenno di buonasera quando uscì. Mia madre e Mona mi guardavano negli occhi. Avevano pensato che sarei uscito dalla cucina con le lacrime a rigarmi il viso. Mia madre mi mise le mani sulle spalle. Dolce e consolatoria, pensava che zio Frank mi avesse umiliato.

«Ha ferito i tuoi sentimenti» disse. «Vero, povero il mio ragazzo?»

Mi tolsi quelle mani di dosso.
«Chi?» dissi. «Quel cretino? Ma certo che no, che diavolo!»
«Hai l'aria di uno che ha pianto.»
Entrai in camera da letto e mi guardai gli occhi allo specchio. Erano asciutti come al solito. Mia madre mi seguì e cominciò a passarci un fazzoletto. Ma che caspita, pensai.
«Posso chiederti che stai facendo?» dissi.
«Povero ragazzo! Va tutto bene. Sei imbarazzato. Ti capisco. Mamma capisce tutto.»
«Ma io *non* sto piangendo!»
Delusa, si allontanò.

Sei

Mattina, è ora di alzarsi, e allora alzati, Arturo, va' a cercarti un lavoro. Va' là fuori a cercare ciò che non troverai mai. Sei un ladro, un killer di granchi, un donnaiolo da stanzino dei vestiti. Te non lo troverai mai, un lavoro.

Ogni mattina mi alzavo con questo stato d'animo. Ora devo trovarmi un lavoro, mannaggia l'inferno. Facevo colazione, mi mettevo un libro sottobraccio e le matite in tasca, e mi avviavo. Giù per le scale, in strada, a volte c'era freddo a volte caldo, a volte c'era nebbia a volte era sereno. Non aveva mai molta importanza, con un libro sottobraccio, andare in cerca d'un lavoro.

Che lavoro, Arturo? Oh oh! Un lavoro per te? Ma ti sei guardato, ragazzo? Un killer di granchi. Un ladro. Che guarda le donne nude nello stanzino dei vestiti. E tu ti aspetti di trovare un lavoro! Che ridere! Eccolo qua, l'idiota col suo grosso libro. Dove diavolo stai andando, Arturo? Perché fai questa strada e non quell'altra? Perché a est e non invece a ovest? Rispondimi, ladro! Chi vuoi che te lo dia un lavoro, porco che sei, chi? Ma c'è un parco dall'altra parte della città, Arturo. Si chiama Banning Park. È pieno di magnifici eucalipti e di prati verdi. Un gran posto per leggere! Vacci, Arturo. Leggi Nietzsche. Leggi Schopenhauer. Stattene in compagnia dei potenti. Un lavoro? Puah! Vatti a sedere sotto un eucalipto a leggere un libro cercando un lavoro.

Eppure qualche volta lo cercavo, un lavoro.

C'era "Tutto a 15 cents". Per un pezzo rimasi là fuori, a guardare una pila di mandorlati nella vetrina. Poi entrai.

«Il direttore, per favore.»

La ragazza disse: «È al piano di sotto».

Lo conoscevo. Si chiamava Tracey. Scesi per quei duri gradini, domandandomi perché mai fossero così duri, e in fondo vidi il signor Tracey. Stava aggiustandosi una cravatta gialla davanti allo specchio. Bell'uomo, quel signor Tracey. Di gusti raffinati. Bella cravatta, scarpe bianche, camicia azzurra. Un uomo elegante, sarebbe stato un privilegio lavorare per uno così. Aveva qualcosa: aveva l'*élan vital*. Ah, Bergson! Un altro grande scrittore era Bergson.

«Salve, signor Tracey.»

«Ehi, che cosa vuoi?»

«Volevo domandarle... »

«Ci sono i moduli d'assunzione. Ma non c'è niente da fare. Siamo al completo.»

Tornai su per quei duri gradini. Che gradini bizzarri! Così duri, così precisi! Forse una nuova invenzione nel campo delle scale. Ah, il genere umano! Che altro si inventerà! Il Progresso. Credo nella realtà del Progresso. Quel Tracey. Quel vigliacco, schifoso, spregevole figliodiputtana! Lui e la sua stupida cravatta gialla lì davanti allo specchio come una dannatissima scimmia: canaglia di un babbione conformista. Una cravatta gialla! Figurarsi. Oh, a me non mi faceva fesso. Sapevo un paio di cosette su quel tipo. Una sera ero lì, al porto, e l'ho visto. Non ho detto niente, ma ci scommetto che l'ho visto, là nella sua macchina, ciccione come un maiale, con una ragazza al suo fianco. Li ho visti i suoi denti grassi al chiaro di luna. Stava lì, seduto sotto il peso della sua pancia, quel babbeo da trenta dollari a settimana, bastardo di un grassone babbione tutto budella con una ragazza al suo fianco, troia puttana battona femmina abietta al suo fianco. Teneva tra le sue dita grasse la mano della ragazza. C'era in lui un ardore porcino, in quel grasso bastardo, quel puzzone, nauseabondo babbeo, quel ratto da trenta dollari a settimana, coi suoi denti grassi che si stagliavano al chiaro di luna, quel suo grosso marsupio schiacciato contro il volante, i suoi sporchi occhi grassi e fervorosi pieni di grasse idee a proposito di una grassa storia d'amore. Non mi faceva fesso, no: non avrebbe mai potuto farmi fesso. Poteva far fessa lei, quella ragazza, ma non Arturo Bandini, e per nessuna ragione Arturo Bandini avrebbe acconsentito a lavorare per lui. Un giorno sarebbe venuta, la resa dei conti. Che implorasse pure, con la sua cravatta gialla a strisciare nella polvere, che implorasse Arturo Bandini, supplicando il grande Arturo di accettare un lavoro, e Arturo Bandini, sprezzante, gli avrebbe dato un calcio in pancia guardandolo dibattersi nella polvere. Avrebbe pagato. Pagato.

Andai fuori allo stabilimento della Ford. E perché no? La Ford ha bisogno di uomini. Bandini alla Ford Motor Company. Una settimana in un comparto, tre settimane in un altro, un mese in un altro, sei mesi in un altro. Due anni, e sarei diventato direttore generale dell'area ovest.

L'asfalto si snodava tra la sabbia bianca, una nuova strada pesante di esalazioni di monossido. Nella sabbia c'erano erbacce scure e cavallette. Frammenti di conchiglie marine luccicavano tra le erbacce. Era la terra creata dall'uomo, piatta e disordinata, baracche scrostate, pile di legname, pile di lattine, trivelle petrolifere e bancarelle di hot dog, bancarelle di frutta e da ogni parte vecchi che vendevano popcorn. In alto, i fili appesantiti del telefono restituivano un rumore, come un ronzio, ogniqualvolta c'era una tregua nel frastuono del traffico. Dall'alveo di un canale fangoso veniva il tanfo penetrante del petrolio, dei rifiuti, di strane barche da carico.

Camminavo lungo la strada insieme con altri. Chiedevano passaggi agitando il pollice. Accattoni dai pollici come arti di marionette e dai sorrisi pietosi, tutti lì a implorare le briciole dei motorizzati. Senza dignità. Ma non io, non Arturo Bandini con le sue gambe possenti. Non fa per lui, lo scrocco. Che mi passino avanti. Che vadano a novanta miglia all'ora, che mi riempiano pure il naso dei loro scarichi. Un giorno sarà tutto diverso. Pagherete per questo, tutti quanti, ogni automobilista lungo questa strada. Non ci salirò, nelle vostre macchine, neanche se uscite e mi supplicate e mi offrite l'automobile e mi dite che è mia subito, mia e senza alcun impegno. Piuttosto ci muoio, su questa strada. Ma verrà il mio momento, e allora vedrete il mio nome nel cielo. Allora la vedrete, tutti voi! Io non mi sbraccio come gli altri, non mostro il pollice ricurvo, quindi non fermatevi. Mai! Ciononondimeno la pagherete.

Non me l'avrebbero dato, un passaggio. Quel tipo, quello là, è lui che ha ucciso i granchi. Perché dargli un passaggio? Fa l'amore con le signorine di carta nello stanzino dei vestiti. Pensa un po'! Dunque non dategli passaggi, a quel Frankenstein, a quel rospaccio, a quel ragno nero, serpe, cane, ratto, scemo, mostro, idiota. Non me lo davano, un passaggio? Bene, e allora? Sapessi che me ne frega! Andate tutti all'inferno! Mi sta bene così. Amo camminare su queste gambe divine, e perdio camminerò. Come Nietzsche. Come Kant. Immanuel Kant. Che ne sapete voi di Immanuel Kant? Scemi voi e le vostre V-8 e Chevrolet!

Quando arrivai alla fabbrica rimasi lì in mezzo agli altri. Si muovevano come un grumo compatto davanti a una pensilina verde. Facce tese, facce fredde. Poi venne fuori un uomo. Niente lavoro per oggi, amici. E tuttavia un posto o due saltavano fuori, se sapevi pitturare, se ne capivi qualcosa di trasmissioni, se avevi esperienza, se avevi lavorato nello stabilimento di Detroit.

Ma non c'era lavoro per Arturo Bandini. Lo capii a prima vista, e non gli avrei consentito di rifiutarmi. Ero divertito. Che spettacolo: questa scena di uomini davanti a una pensilina mi divertiva. Sono qui per una ragione speciale, signore: una missione riservata, per dir così, sto semplicemente raccogliendo dati per il mio rapporto. Mi manda il presidente degli Stati Uniti d'America. Franklin Delano Roosevelt, è lui che mi manda. Frank e io siamo fatti così! Fammi sapere come vanno le cose sulla costa del Pacifico, Arturo; mandami cifre e resoconti di prima mano; fammi sapere con le tue parole che cosa pensano le masse da quelle parti.

Dunque ero uno spettatore. La vita è un palcoscenico. E qua è un dramma, Franklin, vecchio mio, vecchio amico, vecchia spingarda; qua, nel cuore degli uomini, siamo al dramma più crudo. Lo notificherò immediatamente alla Casa Bianca. Un telegramma in codice per Franklin. Frank: inquietudine sulla costa del Pacifico. Consiglio inviare ventimila uomini armati. Popolazione terrorizzata. Situazione perigliosa. Stabilimento Ford in rovina. Me ne occuperò di persona. Qua la mia parola è legge. Il tuo vecchio compare, Arturo.

C'era un vecchio appoggiato al muro. Il naso gli gocciolava fino alla punta del mento, ma stava là beato e non se ne rendeva conto. Mi divertiva. Assai divertente questo vecchio. Devo ricordarmi di descriverlo a Franklin, lui ama gli aneddoti. Caro Frank: saresti morto se avessi visto questo vecchio! Gli piacerà, a Franklin: me lo vedo che ridacchia mentre la racconta ai membri del suo gabinetto. Dite, ragazzi, avete sentito l'ultima del mio amico Arturo laggiù sulla costa del Pacifico? Girellavo su e giù, io, studioso del genere umano, un filosofo, passando davanti a quel vecchio e al suo naso ribelle. Il filosofo che viene dall'ovest contempla la commedia umana.

Il vecchio sorrise a modo suo e io sorrisi a modo mio. Lo guardai e lui mi guardò. Sorrise. Evidentemente non sapeva chi fossi. Senza dubbio mi confondeva col resto della mandria. Molto divertente tutto questo, proprio un grande sport il viaggiare in incognito. Due filosofi che si sorridono con arguzia ragionando del destino dell'uomo. Lui era sinceramente divertito, col suo vecchio naso moccicoso, gli occhi azzurri che brillavano di un sorriso sereno. Indossava una tuta blu che lo ricopriva interamente. In vita aveva una cintura che non serviva a nulla, un'inutile appendice, semplicemente una cintura che non sosteneva alcunché, nemmeno il suo ventre dal momento che era magro. Un capriccio dei suoi, forse; qualcosa che lo faceva ridere quando, al mattino, si vestiva.

Il suo viso si illuminò di un sorriso ancor più largo, invitandomi ad avvicinarmi e a dirgli la mia opinione se ne avevo voglia; anime affini com'eravamo, lui e io, nessun dubbio che egli vedesse oltre il mio travestimento e avesse riconosciuto una personalità profonda e importante, uno che non faceva parte della mandria.

«C'è poco da fare oggi» dissi. «La situazione, secondo me, si fa di giorno in giorno più acuta.»

Lui annuì con calore, il suo vecchio naso che gocciolava

beato: un Platone raffreddato. Un uomo molto vecchio, forse ottantenne, coi denti finti, la pelle come una scarpa vecchia, una cintura senza senso e un sorriso filosofico. La massa scura degli uomini si muoveva intorno a noi.

«Pecore!» dissi. «Ahimè, che pecore! Vittime dell'ignavia bottegaia e del sistema americano, schiavi bastardi degli squali della finanza. Schiavi, parola mia! Non accetterei un lavoro in questo stabilimento manco se me lo offrissero su un vassoio d'oro! Lavora per questo sistema e perderai la tua anima. No grazie. Che profitto c'è per un uomo se guadagna il mondo intero ma perde la propria anima?»

Lui annuiva, sorrideva, era d'accordo, annuiva e voleva che continuassi. Mi scaldai. Era il mio soggetto preferito. La condizione dei lavoratori nell'era delle macchine, argomento per un'opera futura.

«Pecore, parola mia! Un mucchio di pecore impaurite!»

I suoi occhi si illuminarono. Tirò fuori una pipa e la accese. La pipa puzzava. Quando se la tolse di bocca, venne fuori anche il moccio del naso. Se lo strofinò via col pollice e strofinò il pollice su una gamba. Non si curava di pulirsi il naso. Non c'è tempo per una cosa così quando a parlare è Bandini.

«Mi diverte» dissi. «È uno spettacolo impagabile. Pecore che vanno a farsi tosare l'anima. Uno spettacolo rabelaisiano. Devo ridere.» E risi a più non posso. Lo fece anche lui, dandosi manate sulle cosce ed emettendo un gridolino acutissimo, fin quando i suoi occhi non furono pieni di lacrime. Ecco un uomo del mio stesso cuore, un uomo dallo spirito universale, senza dubbio un uomo di buone letture a dispetto della sua tuta e dell'inutile cintura. Cacciò di tasca un blocco e una matita e scrisse sul blocco. Ora lo sapevo: era anche uno scrittore, naturalmente! Il segreto era svelato. Finì di scrivere e mi porse l'appunto.

C'era scritto: Per favore scrivi. Sono sordo come una campana.

No, non c'era lavoro per Arturo Bandini. Me ne andai contento, mi sentivo meglio. Tornai indietro desiderando di avere un aeroplano, un milione di dollari, desiderando che le conchiglie fossero diamanti. Andrò al parco. Non sono ancora una pecora. Leggerò Nietzsche. Sarò un superuomo. *Così parlò Zarathustra*. Oh, quel Nietzsche! Non essere una pecora, Bandini. Preserva la santità della tua mente. Va' al parco a leggere il maestro all'ombra degli eucalipti.

Sette

Una mattina mi svegliai con un'idea. Una bella idea, grande come una casa. La più grande idea che avessi mai partorito, un capolavoro. Avrei trovato lavoro come portiere di notte in un albergo, ecco l'idea. Questo mi avrebbe dato la possibilità di leggere e di lavorare nello stesso tempo. Saltai giù dal letto, trangugiai un po' di colazione e feci le scale sei alla volta. Sul marciapiede mi fermai un momento a rimuginare sulla mia idea. Il sole arroventava la strada, mi bruciava gli occhi, mi rendeva insonne. Strano. Ero ben sveglio, adesso, e l'idea non pareva più tanto buona, ma solo una di quelle idee che ti vengono quando sei mezzo addormentato. Un sogno, un puro sogno, una baggianata. Non potevo trovare lavoro come portiere di notte in questa città portuale per il semplice fatto che nessun albergo, in questa città portuale, faceva uso di portieri di notte. Una deduzione matematica: piuttosto semplice. Tornai su per le scale fino all'appartamento e mi sedetti.

«Perché correvi a quel modo?» chiese mia madre.

«Per allenarmi. Le gambe.»

Vennero giorni di nebbia. Le notti erano notti e nient'altro. I giorni non erano differenti l'uno dall'altro, un sole dorato che abbagliava e che poi andava a morire. Ero sempre solo. Difficile ricordare una pari monotonia. I giorni non si muovevano. Restavano lì come pietre grigie. Il tempo passava lento. Due mesi scivolarono via così.

C'era pur sempre il parco. Lessi cento libri. C'erano Nietzsche e Schopenhauer e Kant e Spengler e Strachey e altri ancora. Oh Spengler! Che libro! Che peso! Come la guida telefonica di Los Angeles. Giorno dopo giorno lo leggevo e non capivo mai niente, ma non me ne importava niente, leggevo perché mi piaceva quel borbottio di una parola via l'altra, e avanti così per pagine e pagine, sullo sfondo un fosco, misterioso rimbombo. E Schopenhauer! Che scrittore! Per giorni lessi e lessi, rammentando qualcosina qua e là. Diceva certe cose sulle donne! Ero d'accordo. Giusto quello che pensavo anch'io sull'argomento. Ragazzi, che scrittore!

Una volta stavo leggendo nel parco. Stavo disteso sul prato. Tra le foglie d'erba c'erano delle piccole formiche nere. Mi guardavano, si arrampicavano sulle pagine, qualcuna si stava chiedendo che cosa stessi facendo, altre, disinteressate, proseguivano. Mi si arrampicarono su una gamba e si confusero in una giungla di peli neri, io tirai su i pantaloni e le uccisi col pollice. Facevano del loro meglio per svignarsela, tuffandosi freneticamente dentro e fuori dai rovi, talora fermandosi, quasi a tentare di ingannarmi con quella loro immobilità, eppure mai, con tutti i loro trucchetti, riuscirono a eludere la minaccia del mio pollice. Che stupide formiche! Formiche borghesi! Cercare di gabbare uno la cui mente si nutriva di Spengler e Schopenhauer e degli altri grandi! Era il loro destino: il Declino della Civiltà delle Formiche. Leggevo, dunque, e uccidevo formiche.

Il libro si intitolava *Ebrei senza denaro*. Che libro, quello! Che signore pagine! Alzai gli occhi da quelle signore pagine e davanti a me sul prato c'era una signora con certe strambe vecchie scarpe e un cesto fra le braccia.

Era gobba e aveva un sorriso dolce. Sorrideva dolcemente per qualsiasi cosa, non poteva farne a meno; gli alberi, l'erba, me, qualsiasi cosa. Il cesto le pesava, la costringeva a piegarsi ancor più. Era una donnetta così magra, la faccia malmessa come se l'avessero sempre presa a schiaffi. Portava un vecchio buffo cappello, un cappello assurdo, un cappello da far impazzire, un cappello che mi faceva venire da gridare, un cappello che su una falda aveva certe bacche rosse sbiadite. Eccola là che sorrideva per qualsiasi cosa, che si trascinava lungo il manto erboso con quel suo cesto pesante che conteneva Dio sa cosa, con in testa un cappello adornato di bacche rosse.

Mi alzai. La cosa era misteriosa. Ed eccomi lì, come per magia, ben piantato sui miei piedi, con gli occhi pieni di lacrime.

Dissi: «Lasci che l'aiuti».

Lei sorrise di nuovo e mi diede il cesto. Cominciammo a camminare. Lei faceva strada. Passati gli alberi si soffocava. E lei sorrise. Era una cosa talmente dolce che quasi mi faceva dare via di testa. Lei parlava, mi diceva cose che non ricordo. Non importava. Mi teneva come in un sogno, e come in sogno la seguii sotto il sole accecante. Andammo avanti per quattro isolati. Speravo che non finisse mai. Lei parlava sempre con una voce bassa, come una musica umana. Che parole! Che cose diceva! Non ricordavo nulla. Ero soltanto felice. Ma in cuor mio stavo morendo. Dev'essere stato così. Scendemmo da così tanti marciapiedi, mi domandavo perché mai non si decidesse a sedersi su uno e non mi tenesse il capo lasciandomi fluttuare. Un'occasione che non si sarebbe mai ripresentata.

Quella vecchietta con la schiena ricurva! Vecchietta, con che letizia provo la tua pena. Chiedimi un favore, sì, tu, vecchietta! Quello che vuoi. Morirò per te. Lo vuoi? Piangerò per te, alzati la gonna e fammi piangere e fa' che le mie lacrime bagnino i tuoi piedi, e allora saprai che anch'io so che cosa è stata questa vita per te, io che ho la schiena piegata come te, ma il mio cuore è integro, e deliziose sono le mie lacrime, tuo è il mio amore, io ti darò gioia là dove Dio non ha potuto. È così facile morire e se vuoi puoi avere la mia vita, vecchietta, mi fai così pena, sì, farò per te qualunque cosa, morire per te, il sangue dei miei diciott'anni scorrerà per i fossi di Wilmington fino al mare per te, per te, che tu possa provare la gioia che adesso io provo e stare diritta senza più l'orrore di quella gibbosità.

Lasciai la vecchietta sulla porta.

Gli alberi scintillavano, Le nuvole ridevano. Il cielo azzurro mi tirò su. Dove sono? Sono forse a Wilmington, California? Sono mai stato qui prima? Una melodia muoveva i miei piedi. L'aria si levava con Arturo in sé, lo librava di qua e di là, faceva di lui tutto e niente. Il mio cuore rideva, rideva... Saluti a Nietzsche e a Schopenhauer e a tutti voi, matti che siete, io sono molto più grande di tutti voi! Nelle mie vene scorreva la musica del sangue. Sarebbe durata? Non poteva durare. Devo sbrigarmi. Ma dove andare? Corsi verso casa. Adesso sono a casa. Lasciai il libro nel parco. Al diavolo. Niente più libri per me. Baciai mia madre. L'avvinghiai appassionatamente. Caddi in ginocchio ai suoi piedi per baciarglieli e le abbracciai le caviglie fino a che dovettero farle male, stupefatta che fossi davvero io.

«Perdonami» dissi. «Perdonami, perdonami.»

«Perdonarti? Sicuro» disse «ma perché mai?»

Ha! Stupida di una donna! Come potevo sapere perché? Ha! Che razza di madre. Quella stranezza se n'era andata. Mi rimisi in piedi. Mi sentivo uno scemo. Arrossii in un bagno di sangue freddo. Cos'era? Non lo sapevo. La sedia. La trovai in fondo alla stanza e mi ci sedetti. Le mani. Mi erano d'impaccio; stupide mani! Mani dannate! Feci qualcosa, le misi da qualche parte, che non m'impacciassero più. Il respiro. Sibilava. Orrore? paura? chissà. Il cuore. Non mi si stava più spezzando nel petto, ma s'era come rimpicciolito, andava infrattandosi nella profonda oscurità che c'era in me. Mia madre. Mi osservava, in preda al panico, aveva paura di parlare, pensava che fossi matto.

«Che cosa c'è? Arturo! Che ti prende?»

«Non sono affari tuoi.»

«Devo chiamare un dottore?»

«Mai.»

«Ti comporti in un modo così strano... Ti senti male?»

«Non mi parlare. Sto pensando.»

«Ma che c'è?»

«Non capiresti. Sei una donna.»

Otto

I giorni passavano. Passò una settimana. La signorina Hopkins era in biblioteca ogni pomeriggio, incedeva sulle sue bianche gambe nelle pieghe di quegli ampi vestiti in una atmosfera fatta di libri e di pensieri freddi. Osservavo. Ero come un falco. Nulla di ciò che faceva poteva sfuggirmi.

E venne il gran giorno. Che giorno!

Ero lì che la osservavo nell'ombra degli scuri scaffali. Aveva in mano un libro e stava in piedi dietro la scrivania come un soldato, spalle in dentro, a leggere il libro, con quel viso così serio e così tenero, gli occhi grigi che si inoltravano lungo quel sentiero rigo dopo rigo. I miei occhi erano così bramosi, così affamati che la fecero trasalire. D'un tratto alzò lo sguardo, e sbiancò in volto come per lo choc causato da qualcosa di terribile. La vidi inumidirsi le labbra, quindi mi voltai. Dopo un poco tornai a guardare. Era una specie di magia. Ebbe un nuovo fremito, di nuovo rivolse attorno a sé uno sguardo carico di disagio, posò le sue lunghe dita sulla gola, sospirò e riprese a leggere. Ancora pochi attimi e guardai un'altra volta. Aveva ancora quel libro in mano. Ma che cos'era quel libro? Non lo sapevo, ma i miei occhi lo volevano, per potersi inoltrare lungo il sentiero che i suoi occhi avevano già percorso.

Fuori era sera, il sole mandava riflessi dorati sul pavimento. Con le sue bianche gambe silenziose come spettri attraversò la biblioteca, raggiunse le finestre e tirò su le tapparelle. Quel libro oscillava nella sua mano destra, e strusciava sul vestito mentre camminava; era proprio lì, nelle sue mani, le bianche mani immortali della signorina Hopkins, stretto nella calda morbidezza bianca delle sue dita.

Che libro! Devo avere quel libro! Dio se lo volevo: per tenerlo, per baciarlo, per stringermelo al petto, quel libro toccato dalla freschezza delle sue dita, che tratteneva forse la veridica impronta delle sue calde dita. Chissà? Forse le sue dita trasudano mentre legge. Meraviglioso! Allora la sua impronta ci sarà di sicuro. Devo averlo. Aspetterò per sempre se occorre. E così aspettai fino alle sette, guardando come teneva il libro, l'esatta posizione delle sue dita meravigliose, così affusolate e bianche, giusto dietro il dorso a non più d'un pollice dal margine inferiore, mentre forse il loro profumo penetrava quelle pagine fatali e stava profumandole per me.

Finalmente lo terminò. Lo portò verso gli scaffali e lo infilò in uno spazio segnato "biografie". Io mi aggiravo nei paraggi, in cerca di un libro da leggere, qualcosa che potesse stimolare la mia mente, qualcosa, perché no?, di genere biografico, la vita di qualche grande personaggio, per ispirarmi, per rendere sublime la mia vita.

Ah, eccolo! Il libro più bello che avessi mai visto, più grosso degli altri di quello scaffale, un libro fra i libri, la regina delle biografie, la principessa della letteratura: quel libro con la rilegatura azzurra. *Caterina d'Aragona*. Ecco cos'era! Una regina legge di un'altra regina, naturale. E i suoi occhi grigi si erano inoltrati lungo quel sentiero di righi: i miei avrebbero fatto altrettanto.

Devo averlo, ma non oggi. Verrò domani, domani. Sarà di turno l'altra bibliotecaria, quella racchiona grassa. E allora sarà mio, tutto mio. E così, fino al giorno successivo, lo nascosi dietro altri libri, in modo che nessuno potesse portarlo via in mia assenza.

Il giorno dopo ero lì di buon'ora: alle nove in punto spaccate. Caterina d'Aragona: donna meravigliosa, la Regina d'Inghilterra, coniuge di Enrico VIII, già sapevo tutto questo. Indubbiamente la signorina Hopkins aveva letto qualcosa sull'intimità fra Caterina ed Enrico in questo libro. Quei capitoli che parlavano d'amore, erano quelli che la deliziavano? Un brivido le correva per la schiena? Le veniva l'affanno, le si gonfiava il petto, e un tremore misterioso s'impadroniva delle sue dita? Sì, e chissà, forse gridava perfino di gioia e provava un misterioso rimescolio, il richiamo della propria femminilità. Sì, sicuro, senza alcun dubbio. Meraviglioso, anche. Una cosa di grande bellezza, un pensiero da rimeditare. E cosi presi il libro, ed eccolo lì, nelle mie mani. Ma pensa! Ieri era stato stretto fra quelle sue dita calde, e oggi era mio. Stupendo. La forza del destino. Una successione miracolosa. Quando ci sposeremo lo rivelerò alla signorina Hopkins. Saremo sdraiati completamente nudi sul letto e la bacerò sulle labbra e io riderò teneramente, e trionfante le dirò che il mio amore è incominciato precisamente quel giorno in cui l'ho vista leggere un certo libro. E riderò di nuovo e i miei bianchi denti scintilleranno, i miei romantici occhi scuri la irradieranno quando finalmente le dirò la pura verità del mio amore eccitante ed eterno. E allora lei si stringerà a me, quei suoi bei seni bianchi aderiranno al mio corpo, e lacrime righeranno il suo viso mentre la farò fluttuare su onde e onde di pura estasi. Che giorno!

Tenevo il libro vicino agli occhi, cercando qualche traccia di quelle bianche dita a non più d'un pollice dal margine inferiore. C'erano ditate, bene. Che importa se potevano appartenere a molta altra gente, per me appartenevano alla sola signorina Hopkins. Camminando verso il parco le baciai, e le baciai così tanto che alla fine erano tutte scomparse, e sul libro rimaneva soltanto una macchia umida azzurrognola, mentre con la bocca assaporavo il dolce sapore di quell'inchiostro azzurro. Nel parco trovai la mia postazione preferita e cominciai a leggere.

Ero vicino al ponte e intrecciai un santuario di ramoscelli e foglie d'erba. Il trono della signorina Hopkins. Ah, l'avesse saputo! Ma in quel momento era a casa a Los Angeles, lontano da quello scenario di devozione, che non poteva affatto immaginare.

Carponi mi spinsi fino al limite del laghetto dei gigli dove erravano i coleotteri e i grilli, e catturai un grillo. Un grillo nero, grasso e ben formato, con un'energia elettrica in corpo. Eccolo lì, il grillo, nella mia mano, ed era me, proprio così, il grillo era me, Arturo Bandini, nero e indegno della bella principessa bianca. Disteso a pancia sotto lo guardavo arrampicarsi sui luoghi che erano stati toccati dalle sacre dita di lei, e anche lui godeva nell'attraversare quel dolce sapore d'inchiostro azzurro. Poi cercò di scappare. Fece un salto. Fui costretto a spezzargli le zampe. Non c'era assolutamente una diversa alternativa.

Gli dissi: «Bandini, mi dispiace. Ma il dovere mi obbliga. È la Regina che lo vuole, l'amatissima Regina».

E adesso strisciava penosamente, chiedendosi che cosa fosse accaduto. Oh, biancobella signorina Hopkins, mira! Oh regina dei cieli e della terra. Mira! Io striscio ai tuoi piedi, null'altro che un grillo nero, una canaglia, indegno di essere considerato umano. Qui, con le gambe spezzate, io giaccio, insignificante grillo nero pronto a morire per te; orsù, mi approssimo alla morte. Ah! Riducimi in cenere! Dammi una forma nuova! Tramutami in uomo! Spegni la mia esistenza per la gloria dell'eterno amore e per la leggiadria delle tue gambe bianche!

E uccisi il grillo nero, schiacciandolo, dopo un commiato appropriato, fra le pagine di *Caterina d'Aragona*, e il suo povero miserabile indegno corpo nero crepitò e schizzò nell'estasi e nell'amore là, nel piccolo sacro santuario della signorina Hopkins.

E che accadde? Un miracolo: dalla morte la vita eterna. La resurrezione della vita. Il grillo non c'era più, ma la forza dell'amore aveva fatto il suo corso, e io ero di nuovo me stesso, non più un grillo: ero Arturo Bandini, e l'olmo più in là era la signorina Hopkins; mi inginocchiai e misi le braccia intorno all'albero, baciandolo con eterno amore, staccandone la corteccia coi denti e sputandola sul prato.

Mi voltai intorno e mi inchinai davanti ai cespugli in riva al laghetto. Essi applaudirono ammirati, ondeggiando insieme, in un sibilo di piacere e di soddisfazione per quella scena, desideravano anzi che portassi via la signorina Hopkins sulle spalle. Non accettai di far questo, e ammiccando con arguzia e muovendomi in maniera significativa dissi loro perché: la principessa biancobella, infatti, non voleva essere portata, voleva invece starsene ben distesa, e a questa battuta tutti risero e mi ritennero il più grande amatore ed eroe che avesse mai visitato quella loro bella terra.

«Capito, amici? Preferiamo stare da soli, la regina e io. Ci restano ancora parecchie faccende da sbrigare, non so se mi spiego.»

Risate, e applausi calorosi dai cespugli.

Nove

Una sera si presentò mio zio. Diede dei soldi a mia madre. Poteva fermarsi soltanto un minuto. Disse che aveva buone notizie per me. Volevo sapere che cosa intendesse. Un lavoro, disse. Alla fine mi aveva trovato un lavoro. Gli dissi che questa non era necessariamente una buona notizia, dal momento che non sapevo che razza di lavoro mi avesse trovato. Al che lui mi disse di finirla, e poi mi parlò di questo lavoro.

Disse: «Prendi questo e digli che ti mando io».

Mi porse un biglietto che aveva già scritto.

«Gli ho parlato oggi» disse. «È tutto a posto. Fa' quel che ti dico, tieni chiusa quella bocca matta, e lui ti prenderà subito.»

«Ci mancherebbe» dissi. «Qualsiasi paranoico è in grado di lavorare in un conservificio.»

«Staremo a vedere» disse mio zio.

La mattina dopo presi l'autobus per il porto. Da casa nostra erano soltanto sette isolati, ma siccome stavo andando a lavorare pensai che era meglio non affaticarmi camminando troppo. La Soyo Fish Company emergeva dal canale come una nera balena morta. Dai tubi e dalle finestre uscivano vapori.

All'ufficio di segreteria sedeva una ragazza.

Era uno strano ufficio. Questa ragazza stava seduta a una scrivania priva di carta o di matite. Lei era una racchiona dal naso adunco con gli occhiali e una gonna gialla. Stava lì alla scrivania e non faceva assolutamente nulla, niente telefono, nemmeno una sola matita davanti a sé.

«Salve» dissi.

«Non è necessario» disse lei. «Che cosa vuole?»

Le dissi che volevo vedere uno che si chiamava Shorty Naylor. Avevo un messaggio per lui. Lei voleva sapere che genere di messaggio. Glielo diedi e lei lo lesse. «Per carità» disse. Poi mi disse di aspettare un minuto. Si alzò e si avviò. Sulla porta si girò e disse: «Non tocchi nulla, per favore.» Le dissi di sì. Ma poi mi guardai attorno e non c'era nulla da toccare. In un angolo del pavimento c'era una scatola piena di sardine, chiusa. Era tutto ciò che riuscissi a vedere in quella stanza, a parte la scrivania e la sedia. È una maniaca, pensai, un caso di *dementia praecox*.

Mentre aspettavo percepivo qualcosa. Un tanfo nell'aria cominciò tutt'a un tratto a prendermi allo stomaco. Mi spingeva lo stomaco in gola. Mi piegai all'indietro e lo percepii distintamente. Ebbi paura. Era come stare in un ascensore che scende troppo rapidamente.

La ragazza fece ritorno. Era sola. Ma no, non era sola. Dietro di lei, invisibile fino al momento in cui lei non si fece da parte, c'era un piccoletto. Quest'uomo era Shorty Naylor. Era molto più piccolo di me. Era molto magro. Con le clavicole sporgenti. In bocca non aveva un dente degno di questo nome, soltanto uno o due che erano anche peggio che niente. I suoi occhi parevano ostriche fradicie su un foglio di carta da giornale. C'erano bave di tabacco, come cioccolato secco, incrostate agli angoli della sua bocca. Aveva l'aria di un topo in attesa. Sembrava non essere mai stato all'aperto, al sole, tanto era grigia la sua faccia. Non mi guardò in faccia, ma in pancia. Mi chiesi che cosa ci vedesse. Abbassai lo sguardo. Non c'era nulla, nient'altro che una pancia, non più grossa del normale né meritevole di particolare attenzione. Prese il biglietto dalla mia mano. Le unghie delle sue dita erano ridotte a moncherini. Lesse il biglietto con malagrazia, molto contrariato, lo spiegazzò e se lo cacciò in tasca.

«La paga è venticinque cents all'ora» disse.

«Assurdo. Iniquo.»

«Comunque, è così.»

La ragazza, seduta alla scrivania, ci osservava. Sorrideva rivolta a Shorty. Come se fosse stata raccontata una barzelletta. Non ci vedevo niente di divertente. Feci spallucce. Shorty era già sul punto di fare ritorno attraverso la porta dalla quale era entrato.

«La paga ha poca importanza» dissi. «Ma le circostanze del caso rendono la questione diversa. Io sono uno scrittore. Interpreto la realtà americana. Il mio proposito non è quello di raccogliere denaro, bensì di raccogliere materiale per la mia prossima opera sull'industria peschiera della California. Naturalmente il mio reddito è molto più alto di quello che potrò guadagnare qui. Ma questa, suppongo, non è una questione di grande importanza in questo momento, proprio no.»

«No» disse lui. «La paga è venticinque cents all'ora.»

«Non importa. Cinque, venticinque... O meglio, viste le circostanze, non importa. Per niente. Io, come dicevo, sono uno scrittore. Interpreto la realtà americana. Mi trovo qui per raccogliere materiale per il mio nuovo libro.»

«Oh per l'amor di Dio!» disse la ragazza, girandosi di schiena. «Per carità di Dio portalo fuori di qui.»

«Non mi piace avere americani nella mia squadra» disse Shorty. «Non lavorano duro come gli altri ragazzi.»

«Ah» dissi. «Qui si sbaglia, signore. Il mio patriottismo è universale. Io non giuro fedeltà ad alcuna bandiera.»

«Gesù» disse la ragazza.

Racchiona che era. Nulla di ciò che avesse potuto dire mi avrebbe mai arrecato disturbo. Era troppo racchia.

«Gli americani non ce la fanno a tenere il passo» disse Shorty. «Non appena ne hanno abbastanza, mollano.»

«Interessante, signor Naylor.» Incrociai le braccia e mi piantai meglio sui tacchi. «Estremamente interessante, quello che dice. Un affascinante aspetto sociologico della situazione nel comparto conserviero. Il mio libro si addentrerà in questa materia assai dettagliatamente, e con una gran quantità di note. La citerò. Davvero.»

La ragazza disse qualcosa di irriferibile. Shorty grattò via qualche residuo da un pezzo di tabacco che teneva in tasca e se ne mangiò un tocco. Un bel boccone che gli riempiva la bocca. A malapena stava ad ascoltarmi, lo capivo dallo scrupolo che metteva nel masticare il tabacco. La ragazza si era seduta alla scrivania, incrociava le mani davanti a sé. Ci girammo entrambi e ci guardammo. Si portò le dita al naso e le premette. Quel gesto, tuttavia, non mi arrecò disturbo. Era veramente troppo racchia.

«Lo vuoi il lavoro?» disse Shorty.

«Sì. Viste le circostanze, sì.»

«Ricorda: è un lavoro duro, e non ti aspettare favoritismi da parte mia. Se non era per tuo zio non ti avrei assunto, ma finché va bene... Non mi piacete, voialtri americani. Siete pigri. Appena vi stancate, mollate. Perdete troppo tempo in fesserie.»

«Sono perfettamente d'accordo con lei, signor Naylor. Sono completamente d'accordo con lei. La pigrizia, se mi è concessa una considerazione, la pigrizia è la caratteristica più rimarchevole della realtà americana. Mi segue?»

«Non devi chiamarmi signore. Chiamami Shorty. Mi chiamo così.»

«Certamente, esimio! Senz'altro, certamente! E... Shorty, direi, è un nomignolo molto pittoresco, un tipico americanismo. Noi scrittori ci imbattiamo di continuo in cose del genere.»

Quest'ultima notazione non lo lusingò, né gli fece molta impressione. Gli si incresparono le labbra. Alla scrivania, la ragazza stava borbottando. «Non chiamarmi nemmeno esimio» disse Shorty. «Non mi piacciono queste smancerie stronzesche.»

«Portalo fuori dai piedi» disse la ragazza.

Ma io non ero minimamente disturbato da una simile racchiona. Mi divertiva. Che faccia da racchia che aveva! Troppo divertente per poterla descrivere. Risi e diedi una pacca sulla schiena a Shorty. Ero basso, ma incombevo su quell'uomo così piccolo. Mi sentivo grande, un gigante.

«Molto divertente, Shorty. Mi piace il tuo spontaneo senso dell'umorismo. Molto divertente. Davvero molto divertente.» E risi ancora. «Molto divertente. Ho ho ho. Che divertente!»

«Non ci vedo niente di buffo» disse.

«Eppure è così! Se mi segui...»

«Al diavolo. Seguimi tu.»

«Oh, ti seguo, va bene, ti seguo.»
«No» disse. «Voglio dire: seguimi adesso. Voglio metterti nella squadra etichettatori.»
Come varcammo la porta di dietro, la ragazza si voltò per osservarci. «E sta' lontano da qui!» disse. Ma non le badai proprio. Era troppo, troppo racchia.
Ci trovavamo all'interno del conservificio. Il capannone di metallo ondulato era una sorta di buia, arroventata prigione sotterranea. Dalle travi sgocciolava acqua. Grumi rappresi di vapore scuro e bianco stavano sospesi nell'aria. Il pavimento verde era scivoloso per via dell'olio di pesce. Attraversammo un lungo stanzone in cui donne messicane e giapponesi armate di coltelli da pesce sventravano sgombri davanti a certi tavolacci. Le donne erano avvolte in pesanti grembiuli, coi piedi infilati in stivali di gomma e le interiora del pesce che gli arrivavano alle caviglie.
Il tanfo era troppo forte. Tutt'a un tratto mi sentii male, male come se avessi ingurgitato una scialappa. Altri dieci passi in quello stanzone e sentii che mi stava tornando su la colazione, e mi dovetti piegare per lasciarla andare. Gli intestini mi si precipitarono in gola in un colpo solo. Shorty rise. Mi dava pacche sulla schiena e sghignazzava. Poi ci si misero anche gli altri. Il capo stava ridendo per qualche motivo, e loro dietro. Che cosa odiosa. Le donne alzarono lo sguardo dal loro lavoro, e risero. Che buffo! In orario di lavoro, pure! Guarda, il capo sta ridendo! Dev'esser successo qualcosa. E allora ridiamo anche noi. Il lavoro si fermò nello stanzone dello sventramento. Tutti ridevano. Tutti fuorché Arturo Bandini.
Arturo Bandini non rideva. Stava rigettando le proprie budella sul pavimento. Li odiavo tutti, uno per uno, e gli giurai vendetta, trascinandomi via da loro, desiderando essere da qualche parte dove non potessero vedermi. Shorty mi prese per un braccio e mi condusse verso un'altra porta. Mi appoggiai al muro e ripresi fiato. Ma quel tanfo ritornò alla carica. I muri vorticavano, le donne ridevano, e Shorty rideva, e Arturo Bandini il grande scrittore stava vomitando di nuovo. E quanto vomitò! Quella sera le donne sarebbero potute andare a casa a raccontarlo. Quello, quello nuovo!

Avreste dovuto vederlo! E io le odiavo e riuscii persino a smettere di vomitare per un momento, riflettendo compiaciuto sul fatto che questo era il rancore più grande che avessi mai provato in vita mia.

«Ti senti meglio?» disse Shorty.

«Sicuro» dissi. «Una cosa da niente. Le idiosincrasie di uno stomaco d'artista. Nient'altro. Qualcosa che ho mangiato, magari.»

«Bene.»

Entrammo nella stanza successiva. Le donne stavano ancora ridendo in orario di lavoro. Sulla porta Shorty Naylor si voltò con un'espressione accigliata. Tutto qui. Si accigliò, e basta. Tutte le donne smisero di ridere. Lo spettacolo era finito. Tornarono al loro lavoro.

Ora eravamo nella stanza in cui si etichettavano le scatole. La squadra era composta di ragazzi messicani e filippini. Alimentavano i macchinari da nastri trasportatori posti in orizzontale. Venti o più, quanti erano, della mia età o più grandi, tutti si interruppero per vedere chi fossi, e capirono che uno nuovo stava per venire a lavorare con loro.

«Sta' qui e guarda» disse Shorty. «Buttati dentro quando hai capito come si fa.»

«Sembra assai facile» dissi. «Sono pronto fin da ora.»

«No. Aspetta qualche minuto.»

E se ne andò.

Rimasi a guardare. Era assai facile. Ma il mio stomaco non ne voleva sapere. Dopo un momento stavo rimettendo di nuovo. E, ancora, giù risate. Ma questi ragazzi non erano come le donne. Loro pensavano che fosse veramente buffo vedere Arturo Bandini che se la passava a quel modo.

La prima mattinata non ebbe né capo né coda. Tra un conato e l'altro stetti allo scarico delle scatole con le convulsioni. E dissi loro chi ero. Arturo Bandini, lo scrittore. Non avete mai sentito parlare di me? Sentirete. Non preoccupatevi, ne sentirete parlare. Il mio libro sull'industria del pesce in California. Diventerà l'opera di riferimento sul tema. Parlavo velocemente tra i conati.

«Non sono qui in permanenza. Sto raccogliendo materiale per un libro sull'industria del pesce in California. Sono Bandini, lo scrittore. Questo non è essenziale, questo lavoro. Forse devolverò il mio salario in opere di carità: all'Esercito della Salvezza.»

E vomitavo di nuovo. Ormai nel mio stomaco non c'era più niente, tranne quello che non voleva venire fuori. Mi piegai e tossii, io, uno scrittore famoso, con le braccia in vita, a contorcermi e a tossire. Ma non veniva fuori. Qualcuno smise di ridere abbastanza a lungo per gridarmi che avrei dovuto bere dell'acqua. Ehi scrittore! Bevi la agua! Così trovai un idrante e bevvi acqua. Venne fuori come un'ondata mentre mi precipitavo verso la porta. E quelli risero. Oh, lo scrittore! Che razza di scrittore! Guarda come scrive!

«Lascia perdere» ridevano.

«Va' a casa» dicevano. «Va' a scrivere un libro. Scrittore. Sei troppo buono per el pesce. Va' a casa a scrivere un libro sobra el vomito.»

Grida e risate.

Me ne uscii fuori e andai a sdraiarmi su un mucchio di reti da pesca arroventate dal sole a due capannoni dalla strada principale che fiancheggiava il canale. Li sentivo ridere, più forte del ronzio dei macchinari. Non ci feci caso, per niente. Era come se dormissi. Ma le reti da pesca non andavano bene, odorose com'erano di sgombro e di sale. Fu un momento: le mosche mi scoprirono. E tutto peggiorò. Ben presto tutte le mosche del porto di Los Angeles si erano passate la notizia della mia presenza. Dalle reti strisciai fino a una striscia di sabbia. Era magnifico. Distesi le braccia e lasciai che le mie dita affondassero nella sabbia in cerca di fresco. Nessuno mai si era sentito così bene. Perfino le piccole particelle di sabbia sollevate dal mio respiro mi riuscivano dolci alla bocca e al naso. Un minuscolo insetto si fermò su una collinetta allo scopo di darsi ragione di tanta confusione. D'abitudine l'avrei ucciso senza esitazioni. Mi guardò negli occhi, rimase un attimo indeciso, poi si fece avanti. Cominciò ad arrampicarmisi sul mento.

«Va' avanti» dissi. «Non è un problema. Puoi entrarmi in bocca se ti va.»

Lui oltrepassò il mento e sentii che mi stava facendo il solletico sulle labbra. Dovetti fare gli occhi strabici per poterlo vedere.

«Vieni avanti» dissi. «Non ti farò del male. Fa' conto che sia una vacanza.»

Lui si arrampicò verso le mie narici. E allora mi addormentai.

Mi svegliò un fischio. Erano le dodici in punto, mezzogiorno. I lavoratori venivano fuori in fila dai capannoni, messicani, filippini e giapponesi. I giapponesi erano troppo presi per gettare lo sguardo altrove che giusto di fronte a sé. Andavano di fretta. Ma i messicani e i filippini mi videro disteso, e risero nuovamente, già, eccolo là il grande scrittore, bello coricato come un ubriacone.

A questo punto per tutto lo stabilimento si era sparsa la voce che una grossa personalità era là in mezzo a loro, nientemeno che l'immortale Arturo Bandini, lo scrittore, ed eccolo disteso laggiù – senza dubbio stava componendo qualcosa per la posterità – eccolo là questo grande scrittore che aveva fatto del pesce la propria specialità, che lavorava per soli venticinque cents all'ora perché era cosi democratico, quel grande scrittore. Era così grande, veramente, che... beh, eccolo stravaccato da quella parte al sole, a pancia in giù, sta rimettendo le budella, sta troppo male per poter sopportare l'odore a proposito del quale progettava di scrivere un libro. Un libro sull'industria del pesce in California! Oh, ma che scrittore! Un libro sul vomito in California! Oh, ma che bel pezzo di scrittore!

Risa.

Passarono trenta minuti. Il fischio risuonò di nuovo. Loro arretrarono dalle tavolate della mensa. Mi rigirai su me stesso e li vidi passare, delle forme indistinte, un sogno atrabiliare. Il sole splendente mi dava la nausea. Seppellii la faccia in un braccio. Quelli continuavano a prenderci gusto, ma non così tanto quanto prima, perché il grande scrittore cominciava a stufarli. Alzando la testa i miei occhi cisposi poterono vederli: il flusso andava esaurendosi. Addentavano mele, leccavano gelati, mangiavano dolcetti ricoperti di cioccolato che tiravano fuori da certe confezioni che a scartarle facevano un sacco di rumore. Mi ritornò la nausea. Lo stomaco brontolava, si agitava, si ribellava.

Ehi scrittore! Ehi scrittore! Ehi scrittore!

Sentii che si radunavano intorno a me, tutto quel ridere e schiamazzare. Ehi scrittore! Voci come echi frammentari. La polvere sollevata dai loro piedi turbinava in nuvole lente. Quindi, più forte che mai, una bocca contro il mio orecchio, e un grido. Eeeeehiiii, scrittore! Braccia che mi afferravano, che mi sollevavano e mi rivoltolavano. Capii cosa stavano per fare ancor prima che succedesse. Era la loro idea di "episodio divertente". Stavano infilandomi un pesce dentro i pantaloni. Lo capii senza nemmeno vedere il pesce. Stavo steso, supino. Il sole di mezzogiorno si accaniva sul mio viso. Sentii dita che armeggiavano sulla mia camicia e il tessuto che si strappava. Ma certo! Proprio come pensavo! Stavano mettendomi quel pesce nei pantaloni. Ma il pesce non lo vidi proprio. Tenni gli occhi chiusi. E allora qualcosa di freddo e viscido mi oppresse il petto e fu spinto in basso verso la cintola: il pesce! Scemi. L'avevo capito molto prima che lo facessero. Sapevo che stavano per farlo. Ma non è che me ne importasse molto. Un pesce in più o in meno non contava poi molto, ormai.

Dieci

Passò del tempo. Può essere una mezz'ora. Infilai una mano nella camicia e sentii quel pesce sulla mia pelle. Ne percorsi la superficie con le dita, riconoscendone le pinne e la coda. Adesso mi sentivo meglio. Tirai fuori il pesce, lo sollevai, lo guardai. Uno sgombro lungo un piede. Trattenni il respiro in modo da non sentirne l'odore. Quindi me lo misi in bocca e gli staccai la testa con un morso. Mi dispiaceva che fosse già morto. Lo buttai via e mi tirai su. Certe grosse mosche stavano gozzovigliandomi in faccia e sulla macchia bagnata della camicia, nel punto in cui mi avevano messo il pesce. Una mosca particolarmente impudente mi atterrò su un braccio e, ostinata, si rifiutava di spostarsi, benché la avvertissi scuotendo il braccio. La cosa ebbe l'effetto di farmi imbestialire. Le diedi una manata, uccidendola là sul braccio. Ma ero ancora talmente furioso che me la misi in bocca e la ridussi in pezzettini per poi sputarla fuori. Poi presi di nuovo il pesce, lo sistemai ben bene sulla sabbia e ci saltai sopra fino a squarciarlo del tutto. Il pallore del mio viso potevo percepirlo: un pezzo d'intonaco. Ogni volta che facevo una mossa si disperdevano cento mosche. Le mosche: che razza di idiote imbecilli! Restavo immobile e le uccidevo, ma anche la presenza delle morte fra loro non riusciva a insegnare nulla alle vive. Invece, insistevano nel darmi fastidio. Per un po' rimasi fermo, paziente, respirando appena, seguendo i movimenti delle mosche fino a una posizione in cui mi sarebbe stato agevole ucciderle.

La nausea era passata. Quel problema l'avevo dimenticato. Ciò che più odiavo erano le risa, le mosche, e quel pesce morto. Desiderai ancora una volta che fosse stato vivo. Gli sarebbe stata impartita una lezione che non avrebbe dimenticato. Non sapevo che altro mi sarebbe capitato. Ma mi sarei vendicato anche di loro. Bandini non dimentica mai. Un modo lo troverà. Me la pagherete cara, tutti quanti.

Giusto dall'altra parte della strada c'era il lavatoio. Mi ci avviai. Due mosche impudenti mi seguivano. Mi fermai di colpo, furente, immobile come una statua, aspettando che le mosche atterrassero. Finalmente ne catturai una. L'altra riuscì a fuggire. Staccai le ali alla mosca e la lasciai cadere in terra. Strisciava di qua e di là nella sporcizia, con certi guizzi da pesce, ritenendo magari che così sarebbe riuscita a sfuggirmi. Che assurdità. Per un po' le permisi di fare ciò che il cuore le suggeriva. Poi le saltai sopra con i piedi e la spiaccicai sulla terra. In quel punto feci una collinetta e ci sputai sopra.

Nel lavatoio barcollavo avanti e indietro come una sedia a dondolo, stavo lì a chiedermi che cosa fare, cercavo di ritornare in me. C'erano troppi operai per fare a botte. Avevo già saldato i conti con le mosche e il pesce morto, ma non con gli operai. Non è che si potessero uccidere gli operai come fossero mosche. Si doveva trovare qualcos'altro, tipo un picchiarsi senza pugni. Mi lavai la faccia nell'acqua fredda e ci pensai su.

Entrò un filippino dalla pelle scura. Era uno dei ragazzi della squadra etichettatori. Si arrestò alla vasca lungo il muro, armeggiando impaziente coi bottoni, accigliato. Quindi liberò i bottoni e si rilassò, sorridendo per tutto il tempo, con una specie di brivido di piacere, anche. Adesso si sentiva molto meglio. Io mi chinai sull'acquaio dall'altra parte del muro e mi feci scorrere l'acqua sui capelli e sul collo. Il filippino si voltò e ricominciò a trafficare coi bottoni. Accese una sigaretta e si appoggiò al muro. Mi osservava. Lo faceva di proposito, mi osservava in un modo tale che capivo che stava osservando me e nient'altro. Ma non avevo paura di lui. Mai ebbi paura di lui. In California nessuno aveva mai avuto paura di un filippino. Sorrise come per farmi capire che neanche lui aveva una grande opinione di me e del mio stomaco debole. Mi raddrizzai e lasciai che l'acqua mi venisse giù dal viso. Cadde sulle mie scarpe polverose, disegnandoci sopra certe chiazze luccicanti. Il filippino aveva un'opinione sempre più scarsa di me. E adesso non stava più sorridendo: sogghignava.

«Como stai?» disse.

«Saranno mica fatti tuoi?»

Era snello e più alto della media. Io non ero grande quanto lui, ma forse pesavamo uguale. Lo squadrai dalla testa ai piedi. Protesi inoltre il mento e ritirai il labbro inferiore come a denotare lo zenith del disprezzo. Lui mi squadrò a sua volta, ma in maniera diversa, senza protendere il mento. Non aveva affatto paura di me. Se non fosse intervenuto qualcosa a interromperci, la sua audacia sarebbe presto diventata tale da suggerirgli di insultarmi.

Aveva la pelle color nocciola. Lo notai perché i suoi denti erano bianchissimi. Denti brillanti, un filo di perle. Quando vidi quant'era scuro seppi subito che cosa dovevo dirgli. Potevo dirlo a tutti loro. Li avrei offesi ogni volta. Lo sapevo bene, perché una cosa simile aveva offeso anche me. Alle medie i ragazzi erano soliti offendermi apostrofandomi "guappo" o "terrone". Cosa che sempre mi offendeva. Mi dava un senso di frustrazione. Mi faceva sentire così penoso, così insignificante. E dunque sapevo che avrebbe offeso anche il filippino. Era così facile che d'un tratto fui lì a ridermela tranquillo davanti a lui: un piacevole senso di sicurezza si era impadronito di me. Non potevo sbagliarmi. Gli andai vicino e piantai la mia faccia davanti alla sua, sorridendogli allo stesso modo in cui lui sorrideva. Capì che qualcosa stava per accadere. Immediatamente la sua espressione cambiò. Se lo aspettava, qualunque cosa fosse.

«Dammi una sigaretta» dissi. «Negro.»

La cosa lo colpì. Ah, se se ne accorse! Ci fu un cambiamento istantaneo, uno spostamento di sensazioni, lo scarto dall'offesa alla difesa. Il sorriso gli s'indurì sul volto, un volto divenuto gelido: voleva continuare a sorridere ma non ce la faceva. Ora mi odiava. I suoi occhi si fecero penetranti. Che sensazione stupenda. Non ce la faceva a dissimulare un movimento nervoso. Tutto era palese. Anche a me aveva fatto lo stesso effetto. Una volta in una drogheria una ragazza mi aveva chiamato macaroni. Avevo soltanto dieci anni, ma di colpo avevo sentito di odiarla, quella ragazza, allo stesso modo in cui ora il filippino odiava me. Mi ero offerto di pagare un cono gelato a quella ragazza. Non voleva accettarlo; mia madre, aveva spiegato, mi ha detto che non devo avere niente a che fare con te perché sei un macaroni. E io avevo deciso di fare altrettanto col filippino.

«Non sei proprio un negro» dissi. «Sei un dannato filippino, che è peggio.»

Ma adesso il suo volto non era né scuro né nero. Era purpureo.

«Un filippino giallo. Un dannato straniero che viene dall'oriente! Non ti trovi un po' a disagio in mezzo a tutti questi bianchi?»

Non ne voleva parlare. Scosse rapidamente il capo in segno di diniego.

«Cristo» dissi. «Che faccia che hai! Sei giallo come un canarino.»

E risi. Mi piegai in due, emettendo un gridolino. Lo indicavo col dito e strillavo, fino a che non fui più in grado di fingere che quella mia risata fosse spontanea. La faccia gli si era irrigidita come ghiaccio per via della rabbia e dell'umiliazione, sulla bocca gli si poteva leggere un senso d'impotenza, era una bocca paralizzata dall'ira, incerta, dolorante.

«Ragazzi!» dissi. «Quasi quasi mi facevi fesso. Ho sempre pensato che eri un negro. E poi viene fuori che sei giallo.»

Allora si rilassò. Quella sua faccia tirata si ammorbidì. Fece un debole sorriso d'acqua e gelatina. Riprese colore. Abbassò lo sguardo sulla propria camicia e spazzò via un poco di cenere di sigaretta. Quindi alzò gli occhi.

«Ti senti meglio adesso?» domandò.

Dissi: «Che te ne importa? Sei un filippino. Voialtri filippini non vi sentite male perché ci siete abituati, a questo schifo. Io sono uno scrittore, coso! Uno scrittore americano, coso! Non uno scrittore filippino. Io non sono nato nelle Filippine. Io sono nato proprio qui, nei cari vecchi Stati Uniti d'America sotto le stelle e le strisce».

Con una scrollata di spalle, mostrò di non aver afferrato molto di quanto avevo detto. «Io no scrittore» sorrise. «No no no. Io nato Honolulu.»

«Eccoci al dunque!» dissi. «La differenza sta qui. Io scrivo libri, amico! Che cosa vi aspettate voi orientali? Io scrivo libri nella madrelingua, la lingua inglese. Io non sono una bestia di orientale.»

Per la terza volta disse: «Ti senti meglio adesso?».

«Che cosa vi aspettate!» dissi. «Io scrivo libri, scemi che siete! Tomi! Non sono mica nato a Honolulu, io. Io sono nato proprio qui nella cara vecchia California meridionale.»

Lanciò la cicca attraverso la stanza fino alla vasca. Colpì il muro e le scintille volarono per poi atterrare non nella vasca ma sul pavimento.

«Ora io vado» disse. «Tu viene presto, no?»

«Dammi una sigaretta.»

«Io ha nessuna.»

Si avviò verso la porta.

«Nessuna. Ultima.»

Ma ce n'era un pacchetto che rigonfiava la tasca della sua camicia.

«Bugiardo di un filippino giallo» dissi. «E quelle cosa sono?»

Fece un sorrisetto e tirò fuori il pacchetto, offrendomene una. Erano sigarette scadenti, roba da dieci cents. Le allontanai da me.

«Sigarette filippine. No grazie. Non per me.»

A lui andava bene così.

«Ci vediamo dopo» disse.

«Non se per primo ti vedo io.»

Andò via. Sentii i suoi piedi muoversi sul sentiero di ghiaia. Ero solo. Il mozzicone della sua sigaretta giaceva abbandonato al suolo. Tirai via il bagnato e lo fumai fra i polpastrelli. Quando non fui più in grado di tenerlo, lo lasciai cadere e lo schiacciai col tacco. Beccati questa! E lo buttai in un punto scuro. Aveva un gusto diverso da quello delle sigarette normali; come dire, sapeva più di filippino che di tabacco.

In quella stanza, con tutta quell'acqua che scorreva in

continuazione nella vasca, faceva fresco. Andai alla finestra e mi rilassai, con il viso tra le mani, osservando il sole del pomeriggio che ritagliava una striscia di argento nella polvere. Davanti alla finestra c'era una rete metallica con buchi larghi un pollice. Pensai al Buco Nero di Calcutta. I soldati inglesi erano morti in una stanza non più ampia di questa. Questa però era una stanza di tipo completamente diverso. C'era una maggior ventilazione. Questo pensiero complesso fu questione di un momento. Non aveva niente a che fare con niente. Tutte le piccole stanze mi ricordavano il Buco Nero di Calcutta, e questo mi faceva venire in mente Macaulay. Ora, dunque, stavo alla finestra e pensavo a Macaulay. Il tanfo, adesso, era sopportabile; era sgradevole, ma mi ci ero abituato. Avevo fame senza avere appetito, ma non potevo pensare al mangiare. Dovevo ancora affrontare di nuovo i ragazzi della squadra etichettatori. Diedi un'occhiatina, se trovavo un altro mozzicone di sigaretta, ma non mi riuscì di trovarne. Quindi uscii.

Tre ragazze messicane venivano giù per il sentiero dirette al bagno. Erano appena uscite dallo stanzone del taglio. Girai l'angolo dell'edificio, che era sfondato come se un autocarro ci fosse andato a sbattere. Le ragazze mi videro e io vidi loro. Stavano giusto in mezzo al viottolo. Avvicinarono le teste. Stavano dicendosi che c'era di nuovo lo scrittore, o qualcosa del genere.

Mi avvicinai. La ragazza con gli stivali annuì al mio indirizzo. Quando mi fui fatto più da presso, tutte sorrisero. Sorrisi a mia volta. Ci separavano dieci piedi. La ragazza con gli stivali mi prendeva. Era per via dei suoi alti seni che tutt'a un tratto mi diedero una grande eccitazione, ma fu una cosa da nulla, giusto un lampo, qualcosa su cui riflettere in seguito. Mi fermai al centro del viottolo. Allargai le gambe e sbarrai il passaggio. Spaventate, rallentarono; lo scrittore tramava qualcosa. Accalorandosi, la ragazza con la cuffia si rivolse a quella con gli stivali.

«Torniamo indietro» disse la ragazza con gli stivali.

Sentivo che mi prendeva di nuovo, e decisi in quel momento che le avrei riservato un sacco di pensieri qualche altra volta. Quindi la terza ragazza, quella che fumava una sigaretta, parlò in uno spagnolo veloce e tagliente. Tutt'e tre, adesso, scuotevano con arroganza il capo e cominciarono a farmisi avanti. Io mi rivolsi alla ragazza con gli stivali. Era la più carina. Delle altre non è nemmeno il caso di parlare, come aspetto erano di molto inferiori alla ragazza con gli stivali.

«Bene bene bene» dissi. «Saluti alle tre belle filippine!»

Non erano affatto filippine, proprio per niente, e io lo sapevo e loro sapevano che lo sapevo. Sbuffarono sprezzanti, coi nasi all'insù. Dovetti togliermi di mezzo per non essere investito. La ragazza con gli stivali aveva bianche braccia dal profilo morbido come quello di una bottiglia di latte. Ma quando le fui vicino vidi che era un ciospo, coi suoi piccoli foruncoli viola e una macchia di polvere sulla gola. Fu una delusione. Lei si voltò e mi fece una smorfia: cacciò la sua lingua rosa e arricciò il naso.

Questa fu una sorpresa, e ne fui contento, poiché ero un esperto nel fare smorfie orribili. Mi tirai giù le palpebre, mostrai i denti e storsi le guance all'insù. La smorfia che feci fu molto più orribile della sua. Lei camminava all'indietro, mi stava affrontando, con la sua lingua rosa da fuori, facendo ogni sorta di smorfie, tutte però variazioni sul tema caccia-fuori-la-lingua. Ognuna delle mie era migliore delle sue. Le altre due ragazze camminavano dritte avanti. Gli stivali della ragazza-con-gli-stivali erano troppo grossi per i suoi piedi; ciabattavano nella polvere mentre lei camminava all'indietro. Mi piaceva il modo in cui l'orlo del vestito le sbatteva sulle gambe, con la polvere che si alzava a folate come un gran fiore grigio tutt'intorno a lei.

«Non è quello il modo di comportarsi di una ragazza filippina!» dissi.

La fece montare su tutte le furie.

«Noi *non* siamo filippine!» urlò. «Tu sei filippino! Filippino! Filippino!»

Adesso si giravano anche le altre ragazze. Si lanciarono in quel ritornello. Tutt'e tre camminavano all'indietro, a braccetto, strillando quella filastrocca.

«Filippino! Filippino! Filippino!»

Fecero altre smorfie da scimmia premendosi il pollice sul

naso. La distanza fra noi aumentava. Alzai il braccio facendo loro segno di fermarsi un momento. Erano state loro a parlare e a gridare più di tutti. A malapena io avevo detto qualcosa. Ma loro continuarono la filastrocca. Agitai le braccia e misi un dito davanti alle labbra per dirgli di stare quiete. Finalmente acconsentirono a fermarsi e ascoltare. Infine il campo era mio. Erano così lontane, e veniva un tale rumore dagli edifici, che dovetti congiungere le mani a imbuto e urlare.

«Chiedo scusa!» urlai. «Scusatemi se ho fatto uno sbaglio! Sono tremendamente spiacente! Pensavo che foste filippine. Ma non lo siete. Siete un sacco peggio! Messicane! Unte! Monnezza ispanica! Monnezza ispanica! Monnezza ispanica!»

Ero a cento piedi di distanza, ma riuscii a percepire la loro improvvisa apatia. Scese su ciascuna di loro, le toccò nel profondo, provocò un silenzioso dolore. Ciascuna aveva vergogna di confessare la propria pena alle altre, sebbene tutte rivelassero quel dolore segreto dal momento che erano rimaste così immobili. Anche a me era successo così. Una volta avevo dato una ripassata di botte a un ragazzo. Mi sentivo bene, quindi mi avviai per la mia strada. Lui si era alzato ed era corso verso casa gridando che ero un macaroni. C'erano altri ragazzi là intorno. Le grida di quel ragazzo che batteva in ritirata mi avevano fatto provare ciò che ora provavano le ragazze messicane. E allora risi in faccia alle ragazze messicane. Alzai la bocca al cielo e risi, senza più voltarmi neanche una volta, ma ridendo tanto forte da essere certo che mi sentissero. Poi entrai.

«Nyah nyah nyah» dissi. «Bla bla bla!»

Ma mi sentii un po' scemo per averlo fatto. E loro pensarono che fossi scemo. Si guardarono stupiti, quindi guardarono me. Non capivano che era mia intenzione ridicolizzarli. No, dal modo in cui scuotevano il capo mi parvero convinti di avere a che fare con un lunatico.

Ora però toccava a quei giovanotti del capannone etichettatori. Brutta gatta da pelare. Entrai a passi lunghi e rapidi, con l'aria di uno che la sa lunga, fischiando per tutto il tempo e inspirando profondamente per dimostrargli che il tanfo non aveva alcun effetto su me. Mi grattai il petto, anche, e dissi ah! I ragazzi erano tutti stretti attorno allo scarico, a dirigere il flusso delle scatole che venivano scaricate sul nastro ingrassato per essere portate alle macchine. Si affollavano, spalla a spalla, attorno allo scarico, che aveva la forma di una scatola larga dieci piedi. Il capannone era tanto rumoroso quanto puzzolente, pieno di ogni genere di odore di pesce morto. Il rumore era così forte che non mi notarono arrivare. Mi feci largo a spallate tra due grossi messicani che parlavano tra loro lavorando. Feci la mia scena, spingendo e ficcandomi nella calca. E fu allora che abbassarono lo sguardo e mi videro fra loro. La cosa li infastidì. Non riuscivano a capire che cosa stessi cercando di fare; finché non li allontanai coi gomiti e le mie braccia furono finalmente libere.

Urlai: «Largo, unti!»

«Bah!» disse il messicano più grosso. «Lasalo star, Joe. El picolo hijo de puta è mato.»

Mi tuffai al lavoro, raddrizzando scatole sul nastro trasportatore. E sì, mi lasciavano proprio da solo, con tutta la libertà che occorreva. Nessuno parlava. Mi sentii veramente solo. Mi sentii come un cadavere, che stava là per la sola ragione che nessuno poteva farci niente.

Il pomeriggio declinava.

Smisi di lavorare soltanto due volte. La prima per bere un po' d'acqua, la seconda per scrivere qualcosa sul mio piccolo taccuino. Tutti loro si fermarono e rimasero a osservarmi quando mi staccai dalla macchina per prendere quel breve appunto. Tanto per provare loro che dopotutto, e senza alcun dubbio, non stavo scherzando, che c'era per davvero uno scrittore tra loro, uno scrittore vero, roba buona, mica un'imitazione. Scrutai quelle facce a una a una e mi grattai un orecchio con la matita. Poi per un attimo fissai il vuoto. Infine feci schioccare le dita a dimostrare che il pensiero era arrivato coi suoi colori alati. Poggiai il taccuino sul ginocchio e scrissi.

Scrissi: Amici, Romani, cittadini! La Gallia è divisa in tre parti. Ove te'n vai, oh donna? Non scordare il tuo frustino. Il tempo e la marea non aspettano alcuno. Sotto il florido castagno la fucina del villaggio. Quindi mi interruppi per firmarlo con uno svolazzo. Arturo G. Bandini. Non mi riusciva di pensare ad altro. Loro mi guardavano con gli occhi da fuori. Decisi che dovevo pensare qualcos'altro ancora. Ma quello fu tutto. La mia mente aveva cessato di funzionare. Non mi riusciva di pensare a qualche altro oggetto, né a una sola parola, né al mio proprio nome.

Rimisi in tasca il taccuino e ripresi posto allo scarico delle scatole. Nessuno disse una parola. I loro dubbi, ormai, erano seriamente minacciati. Non mi ero forse fermato per scrivere un pochino? Forse mi avevano giudicato troppo astiosamente. Speravo che qualcuno mi chiedesse che cosa avevo scritto. Gli avrei detto rapidamente che non era nulla d'importante, giusto un appunto concernente le condizioni di lavoro degli stranieri per il mio periodico rapporto alla Commissione Reperimento Fondi; una cosa che non capiresti, vecchio mio, roba troppo profonda per spiegartela adesso; facciamo un'altra volta; magari un giorno a pranzo.

Ripresero a parlare. Poi risero tutti insieme. Ma parlavano in spagnolo, non ci capivo niente.

Il ragazzo che chiamavano Jugo saltò fuori dalla fila come avevo fatto io ed estrasse un taccuino anche dalla sua, di tasca. Corse là dove io mi ero messo col mio taccuino. Per un momento pensai che davvero doveva essere uno scrittore che aveva concepito un'osservazione di un qualche valore. Assunse la stessa posizione che avevo assunto io. Si grattò un orecchio alla maniera in cui me l'ero grattato io. Fissò il vuoto allo stesso modo in cui io l'avevo fatto. Poi scrisse. Ruggiti di risa.

«Anche jo scrittore!» disse: «Mira!».

Sollevò il taccuino in modo che tutti potessero vedere. Aveva disegnato una mucca. La faccia della mucca era punteggiata come di lentiggini. Una cosa indubitabilmente ridicola, dal momento che la mia faccia era punteggiata di lentiggini. Sotto la mucca aveva scritto: "Scrittore". E ora portava in giro quel taccuino.

«Molto buffo» dissi. «Una farsa da unti.»

Lo odiavo talmente che mi venne la nausea. Odiavo tutti loro e gli abiti che indossavano e tutto ciò che li riguardava.

Lavorammo fino alle sei in punto. Per tutto quel pomeriggio Shorty Naylor non si fece vedere. Quando suonò la sirena, i ragazzi lasciarono cadere ogni cosa e scattarono via dalla piattaforma. Io ci rimasi per qualche minuto, a raccogliere scatole che erano cadute sul pavimento. Speravo che Shorty sarebbe ritornato in quel momento. Lavorai per dieci minuti, ma non venne anima viva, e allora piantai tutto, disgustato, e ributtai per terra tutte le scatole.

Undici

Alle sei e un quarto stavo tornandomene a casa. Il sole stava scivolando dietro i grandi depositi dei docks, e le loro lunghe ombre si stagliavano sulla terra. Che giornata! Che inferno di giornata! Andavo avanti parlandone tra me, discutendone. Facevo sempre così, parlavo ad alta voce con me stesso, mi veniva come un pesante mormorio. Di solito era divertente, perché avevo sempre le risposte giuste. Non quella sera, comunque. Lo odiavo, il borbottio che continuava a prodursi dentro la mia bocca. Era come il ronzio di un bombo in trappola. La parte di me che soleva dare risposte alle mie domande continuava a dire Oh basta! Sei un matto bugiardo! Un folle! Un imbecille! Perché non la dici, una volta tanto, la verità? La colpa è tua, quindi smettila di cercare di scaricarla su qualcun altro.

Attraversai il cortile della scuola.

Vicino al recinto metallico c'era una palma che veniva su tutta sola. La terra era stata dissodata di fresco intorno alle radici, e quel giovane albero era di una specie che non avevo mai visto crescere in quel posto. Mi fermai per guardarlo. C'era una targa bronzea ai piedi dell'albero. Diceva: Piantata dai bambini di Banning High a celebrazione della Festa della Mamma.

Presi tra le dita un rametto dell'albero e gli strinsi la mano. «Salve» dissi. «Tu non c'eri, e comunque: di chi è la colpa, secondo te?»

Era un alberello, non più alto di me, non più vecchio di

un anno. Rispose con un delicato stormire del suo fitto fogliame.

«Le donne» dissi. «Pensi che c'entrino in qualche misura?»

Non una parola dall'albero.

«Sì, è colpa delle donne. Hanno reso schiava la mia mente. Esse, esse soltanto sono responsabili di ciò che è accaduto oggi.»

L'albero ondeggiò lievemente.

«Le donne bisogna annichilirle. Proprio annichilirle. Bisogna che me le tolga di testa per sempre. Esse, esse soltanto hanno fatto di me quel che sono oggi. E stasera le donne moriranno. È l'ora delle decisioni. Il tempo è venuto. Il mio destino mi è ormai chiaro: morte, morte, morte alle donne stasera stessa. Ho detto.»

Strinsi nuovamente la mano all'albero e attraversai la strada. Insieme con me viaggiava il tanfo di pesce, come un'ombra invisibile, e sia pure annusabile. Mi scortò su per le scale di casa. Nel momento in cui varcai la soglia dell'appartamento l'odore era dappertutto, veniva su da ogni più riposto angolo dell'appartamento. Come un dardo, viaggiò fino alle narici di Mona, che uscì dalla camera da letto con in mano una limetta per le unghie e negli occhi un'espressione interrogativa.

«Puah!» disse. «E questa roba cos'è?»

«Sono io. È l'odore dell'onesta fatica. C'è qualcosa che non va?»

Lei si mise un fazzoletto sul naso.

Dissi: «Probabilmente è troppo delicato per le narici di una monaca santificata».

Mia madre era in cucina. Sentì le nostre voci. La porta si spalancò e ne emerse lei, sul punto di entrare. Il tanfo la attaccò. La colpì in faccia come una torta di limone in una comica finale. Come morta, ristette sui propri passi. Un'annusata e la faccia le si tese. Quindi indietreggiò.

«Odoralo!» disse Mona.

«Pensavo di aver annusato una *cosa*!» disse mia madre.

«Sono io. È l'odore dell'onesta fatica. L'odore di un uomo. Non è roba per effeminati o per dilettanti. È pesce.»

«È disgustoso» disse Mona.

«Storie» dissi. «Chi sei tu per criticare un odore? Tu sei una monaca. Femmina. Nient'altro che una donna. Non sei nemmeno una donna in quanto sei una monaca. Sei soltanto una mezzadonna.»

«Arturo» disse mia madre. «Finiamola con discorsi del genere.»

«A una monaca dovrebbe piacere l'odor di pesce.»

«Naturalmente. Che ti sto dicendo da almeno mezz'ora?»

Le mani di mia madre si levarono verso il soffitto, con le dita che le tremavano. Un gesto che precedeva sempre le lacrime. La voce le si spezzò, ne perse il controllo, e sgorgarono le lacrime.

«Dio grazie! Mio Dio grazie!»

«Sì sì, tutto merito suo. Questo lavoro l'ho ottenuto da solo. Io sono ateo. Nego l'ipotesi Dio.»

Mona ghignò.

«Ma cosa dici! Tu non saresti mai stato capace di trovare un lavoro. È lo zio Frank che te l'ha trovato.»

«È una menzogna, un'oscena menzogna. Il biglietto dello zio Frank l'ho stracciato!»

«Ci credo!»

«Non m'importa quello che credi. Chiunque dia credito alla Immacolata Concezione e alla Resurrezione è un babbione totale le cui credenze sono tutte da valutare con sospetto.»

Silenzio.

«Ora sono un lavoratore» dissi. «Appartengo al proletariato. Sono uno scrittore-lavoratore.»

Mona sorrise.

«Il tuo odore sarebbe molto migliore se fossi soltanto uno scrittore.»

«Questo odore io lo amo» le dissi. «Amo ogni sua più nascosta fragranza, ogni sfumatura; mi affascinano tutte le sue variazioni, tutto ciò che contengono. Io appartengo al popolo.»

Le si corrugò la bocca.

«Mamma, ascoltalo! Usa le parole senza nemmeno sapere che cosa significano.»

Un'osservazione del genere non potevo tollerarla. Diede

fuoco al mio io più profondo. Poteva mettere in ridicolo la mia fede e perseguitarmi per la mia filosofia, e non mi sarei lamentato. Ma nessuno poteva farsi beffe del mio inglese. Attraversai la stanza di corsa.

«Non insultarmi! Posso sopportare tutte le tue scemenze e le tue storie, ma, nel nome di quel Geova che adori, non insultarmi!»

Agitai il pugno davanti ai suoi occhi spingendola con il petto. «Posso tollerare tutte le tue scempiaggini, ma, nel nome del tuo mostruoso Jahvè, tu, bigotta di una monachessa pagana adoratrice di Dio, tu, rifiuto terreno buono a niente, non mi devi insultare! Mi oppongo! Mi oppongo risolutamente!»

Lei chinò il mento e mi allontanò con la punta delle dita.

«Per favore va' via. Fatti un bagno. Puzzi di brutto.»

Feci una giravolta e le punte delle mie dita le furono sul viso. Lei strinse i denti e batté i piedi sul pavimento.

«Sei matto! Matto!»

Mia madre era sempre in ritardo. Si intromise.

«Su! Su! Perché tutto questo?»

Mi tirai su i pantaloni e sogghignai all'indirizzo di Mona.

«Verso quest'ora di solito ceno. Ecco perché. Dal momento che mi tocca di sopportare due parassiti-donna, penso di aver titolo per mangiare qualcosa di quando in quando.»

Mi sfilai la camicia puzzolente e la gettai su una sedia in un angolo. Mona la prese, la portò alla finestra e la buttò fuori. Quindi si voltò e mi sfidò a replicare in qualche modo. Non dissi niente, rimasi soltanto a fissarla con freddezza perché potesse capire la profondità del mio disprezzo. Mia madre stava lì stordita, incapace di capire quel che stava succedendo; neanche dopo un milione di anni le sarebbe mai potuto passare per la testa di buttar via una camicia soltanto perché puzzava. Senza parlare mi affrettai giù per le scale e poi attorno alla casa. La camicia stava appesa al ramo di un fico al di sotto della nostra finestra. La indossai e ritornai all'appartamento. Mi trovavo esattamente nello stesso punto in cui mi trovavo prima. Incrociai le braccia e consentii al disprezzo di effondersi dal mio viso.

«Su» dissi «provaci ancora. Ti sfido!»

«Matto!» disse Mona. «Ha ragione zio Frank. Sei pazzo.»
«Oh, quello poi! Quel cazzone di uno Scemus Americanus.»
Mia madre era terrorizzata. Ogni volta che dicevo qualcosa che non capiva pensava che c'entrasse in qualche modo col sesso o con le donne nude.
«Arturo! Ti pare bello? È tuo zio!»
«Zio o non zio. Mi rifiuto categoricamente di ritirare l'accusa. Ora e sempre resterà uno Scemus Americanus.»
«Ma... tuo zio! Carne della tua carne!»
«Il mio atteggiamento non muta. L'accusa resiste.»
La cena era apparecchiata sul tavolino della colazione. Non mi lavai. Avevo troppa fame. Entrai e mi sedetti. Venne mia madre con un asciugamani pulito. Disse che avrei dovuto lavarmi. Presi l'asciugamani e me lo misi vicino. Mona entrò di malavoglia. Si sedette e cercò di sopportarmi così da presso. Spiegò il tovagliolo e mia madre portò una zuppiera piena di minestra. Ma l'odore era troppo per Mona. Alla vista della minestra le venne il voltastomaco. Si portò le mani alla bocca dello stomaco, tirò via il tovagliolo e lasciò il tavolo.
«Non ci riesco. Proprio non ci riesco!»
«Ah! Smidollate. Femminucce. Portatemi da mangiare!»
Poi mia madre se ne andò. Mangiai da solo. Quando ebbi finito accesi una sigaretta e mi rilasciai sulla sedia a pensare un po' alle donne. Pensai al modo più efficace per distruggerle. Nessun dubbio al riguardo: dovevano essere finite. Avrei potuto bruciarle, o farle a pezzi, o affogarle. Alla fine decisi che affogarle sarebbe stato il modo migliore. Potevo farlo con comodo mentre facevo il bagno. Poi potevo buttarne i resti nelle fogne. Sarebbero state trascinate fino al mare, là dove giacevano i granchi morti. Le anime delle donne morte avrebbero parlato con le anime dei granchi morti, e avrebbero parlato soltanto di me. La mia fama si sarebbe accresciuta. Granchi e donne, sarebbero tutti arrivati a una conclusione inevitabile: che io ero sì un terrore, il Killer Nero della Costa del Pacifico, epperò un terrore che tutti rispettavano, granchi e donne in ugual misura: un eroe crudele, purtuttavia un eroe.

Dodici

Dopo cena aprii l'acqua del bagno. Ero sazio di cibo e ben disposto per l'esecuzione. L'acqua calda l'avrebbe resa ancora più interessante. Mentre la vasca si riempiva, entrai nel mio studio, chiudendomi la porta alle spalle. Accendendo la candela, alzai la scatola che nascondeva le mie donne. Giacevano là, stipate: tutte le mie donne, le mie favorite, trenta donne scelte dalle pagine delle riviste illustrate, donne non reali, ciononostante sufficientemente apprezzabili; donne che mi appartenevano più di quanto sarebbe mai potuta appartenermi qualsiasi altra donna reale. Le arrotolai e me le cacciai sotto la camicia. Dovetti farlo. Mona e mia madre erano in salotto e dovevo passare davanti a loro per andare in bagno.

Eccoci dunque alla fine! Un capriccio del destino! A pensarci! Gettai lo sguardo in giro per lo stanzino cercando di fare il sentimentale. Ma non ero molto triste: ero troppo impaziente di passare all'esecuzione per essere triste. Giusto per salvare le forme, tuttavia, restai immobile e chinai il capo in segno di saluto. Soffiai quindi sulla candela e varcai la soglia del salotto. Lasciai aperta la porta dietro di me. Era la prima volta che lasciavo la porta aperta. In salotto c'era Mona seduta che cuciva. Attraversai il tappeto con quel lieve rigonfiamento in vita. Mona alzò lo sguardo e vide la porta aperta. Ne fu assai sorpresa.

«Hai dimenticato di chiudere il tuo studio» sogghignò.

«So quello che sto facendo, se non ti dispiace. E chiuderò

quella porta quando cacchio mi passerà per la testa di farlo.»

«E che ne sarà di Nietzsche o come altro lo chiami?»

«Lascia perdere Nietzsche, pinzochera che sei.»

La vasca era pronta. Mi svestii e mi ci sedetti dentro. Le figure stavano a faccia sotto sul tappetino del bagno, a portata di mano.

Allungai una mano e raccolsi la figura in cima al mazzo.

Chissà perché, ma lo sapevo che sarebbe stata Helen. Me lo diceva un vago istinto. E fu proprio Helen. Helen, cara Helen! Helen con quei suoi capelli castano chiari! Era molto tempo che non la vedevo, quasi tre settimane. Particolare curioso su Helen, la più bizzarra delle donne: l'unica ragione per cui mi stava a cuore era per via delle sue lunghe unghie. Erano così rosa, certe unghie così mozzafiato, così sottili e così elegantemente vive. Di tutto il resto di lei, però, non mi curavo affatto, per quanto fosse tutta bella. La foto la ritraeva nuda e seduta, con un morbido velo sulle spalle, una meraviglia per la vista in ogni dettaglio, e tuttavia era per me una cosa di scarso interesse, eccezion fatta per quelle belle unghie.

«Addio Helen» dissi. «Addio, cuor mio. Non ti scorderò mai. Fino al giorno in cui morirò, mi ricorderò sempre di tutte le volte che siamo andati nel fitto dei campi di grano del libro di Anderson e di quando andavo a dormire con le tue dita in bocca. Com'erano deliziose! E come dormivo dolcemente! Ma ora ci separiamo, cara Helen, dolce Helen. Addio, addio.»

Strappai la foto e ne feci galleggiare i pezzi sull'acqua.

Quindi allungai nuovamente la mano. Toccò ad Hazel. L'avevo chiamata così per via dei suoi occhi in quel disegno a colori naturali. E tuttavia non mi importava nemmeno di Hazel. Erano i suoi fianchi che mi importavano: soffici come cuscini, e così bianchi. Che momenti avevamo passato, Hazel e io! Quant'era bella, davvero! Prima di distruggerla mi sdraiai nell'acqua pensando a tutte le volte che ci eravamo incontrati in una stanza misteriosa in cui pioveva l'abbagliante luce del sole: una stanza molto bianca, con soltanto un tappeto verde sul pavimento, una stanza che esisteva soltanto grazie a lei. In un angolo, appoggiata al muro senza un vero motivo, ma sempre là, c'era una lunga canna sottile con la punta d'argento che rifulgeva come un diamante alla luce del sole. E da dietro una tenda che non vedevo quasi mai per via della foschia, e la cui esistenza non potevo tuttavia negare, Hazel si avanzava verso il centro della stanza con un portamento così malinconico, e là c'ero io, che ammiravo la beltà bombata dei suoi fianchi, in ginocchio davanti a lei, con le dita che mi si liquefacevano nel toccarla, e tuttavia non mi rivolgevo mai all'amata Hazel, bensì ai suoi fianchi, apostrofandoli come se fossero anime viventi, dicendo loro quant'erano meravigliosi, e quanto sarebbe stata vana la vita senza loro, e nel contempo li prendevo fra le mani e me li avvicinavo. E strappai anche quella immagine, e stetti a osservare quei frammenti mentre assorbivano l'acqua. Cara Hazel...

Toccò poi a Tanya. Ero solito incontrarmi con Tanya di sera, in una grotta che da ragazzini avevamo scavato un'estate, molto tempo prima, lungo la scogliera di Palos Verdes nei pressi di San Pedro. Era vicina al mare, e si poteva respirare l'estasi dei tigli che crescevano da quelle parti. La grotta era sempre cosparsa di vecchie riviste e di giornali. In un angolo c'era una padella che avevo rubato a mia madre in cucina, e in un altro angolo una candela ardeva emettendo un sibilo. Dopo un po' che ci si stava dentro era proprio una piccola sporca grotta, e faceva molto freddo perché l'acqua colava da tutte le parti. E là incontravo Tanya. Ma non era Tanya che amavo. Era piuttosto il modo in cui, in quell'immagine, indossava uno scialle nero. E non era nemmeno lo scialle. L'una cosa sarebbe stata incompleta senza l'altra, e solamente Tanya avrebbe potuto indossarlo in quel modo. Sempre, quando la incontravo, mi sorprendevo a strisciare dentro la grotta fino al centro di essa, a tirar via lo scialle mentre i lunghi capelli sciolti di Tanya le ricadevano intorno, e allora avvicinavo lo scialle al mio viso e ci affondavo le labbra, ammirandone la nera brillantezza e ringraziando Tanya ancora e ancora di averlo indossato un'altra volta per me. E Tanya rispondeva sempre: "È cosa da niente, sciocchino. Lo faccio volentieri. Oh, che sciocchino che sei". E io dicevo: "Ti amo, Tanya".

Toccò a Marie. Oh Marie! Oh tu, Marie! Tu e la squisitezza della tua risata, tu e il tuo profumo inebriante! Amavo i suoi denti e la sua bocca e l'odore delle sua carne. C'incontravamo in una stanza scura le cui pareti erano ricoperte di libri pieni di ragnatele. C'era una poltrona rivestita di pelle accanto al caminetto, e dev'essere stata una casa molto grande, un castello oppure una residenza patrizia in Francia, perché in mezzo alla stanza, grossa e robusta, c'era la scrivania di Emile Zola così come l'avevo vista in un libro. Là mi sedevo a leggere le ultime pagine di *Nana*, quel passo sulla morte di Nana, e Marie come una nebbia si levava da quelle pagine e rimaneva nuda davanti a me, ridendo e ridendo con la sua bella bocca e producendo un odore tossico finché dovevo mettere giù il libro e lei mi camminava davanti tenendo le mani sul libro e scuoteva il capo con un sorriso profondo, cosicché potevo sentirne il calore che come elettricità scorreva nelle mie dita.

"Chi sei?"

"Sono Nana."

"Davvero Nana?"

"Davvero."

"La ragazza che è morta?"

"Non sono morta. Appartengo a te."

E la prendevo fra le mie braccia.

Toccò a Ruby. Donna erratica, così diversa dalle altre, e anche molto più anziana. Mi imbattevo sempre in lei mentre correva attraverso un pianoro secco e riarso dal sole oltre il Funeral Range nella Valle della Morte, in California. Succedeva così perché c'ero stato una volta in primavera e non avevo mai più dimenticato la bellezza di quel vasto pianoro, così fu là che incontrai tante volte l'erratica Ruby, una donna di trentacinque anni che correva nuda sulla sabbia e io la inseguivo e finalmente la prendevo accanto a una pozza d'acqua azzurra che emanava sempre dei vapori rossi nel momento in cui la trascinavo nella sabbia e affondavo la bocca sulla sua gola, che era molto calda e non tanto graziosa, perché Ruby stava diventando vecchia e le corde vocali sporgevano un poco, tuttavia ero appassionatissimo di quella gola e amavo il tocco di quelle corde che si gonfiavano e si sgonfiavano mentre lei ansimava, là dove l'avevo presa e l'avevo spinta a terra.

E Jean! Quanto amavo i capelli di Jean! Erano del colore della paglia dorata, e sempre la vedevo mentre si asciugava quei lunghi fili sotto un banano cresciuto su una montagnola tra le colline di Palos Verdes. La osservavo mentre si pettinava quei fili intricati. Addormentato ai suoi piedi stava un serpente attorcigliato, come il serpente sotto i piedi della Vergine Maria. Mi avvicinavo a Jean sempre in punta di piedi, in modo da non disturbare il serpente, il quale sospirava di gratitudine quando il mio piede affondava su lui, donandomi un piacere squisito in ogni fibra, accendendo gli occhi stupiti di Jean, quindi le mie mani scivolavano gentilmente e con cura nel calore da brivido di quei capelli dorati, e Jean rideva e mi diceva che sapeva che sarebbe andata così, e poi come un velo che cade si lasciava andare tra le mie braccia.

E che dire di Nina? Perché la amavo, quella ragazza? E per quale motivo era zoppa? E che cosa c'era dentro il mio cuore che me la faceva amare così pazzamente, semplicemente, perché era cosi disperatamente mutilata? Insomma era così, e la mia povera Nina era zoppa. Non nella fotografia, oh, non era lì che era zoppa, lo era soltanto quando la incontravo: un piede più piccolo dell'altro, un piede come quello di una bambola, l'altro della misura giusta. C'incontravamo nella chiesa cattolica della mia fanciullezza, St. Thomas a Wilmington, dove io, vestito da prete, tenevo uno scettro in mano sull'altar maggiore. Tutt'intorno a me, in ginocchio, c'erano i peccatori, piangevano dopo che li avevo castigati per i loro peccati, e nessuno di loro aveva l'ardire di alzare lo sguardo verso di me dal momento che i miei occhi brillavano di una santità febbrile, in un totale dispregio del peccato. E allora, dal retro della chiesa avanzava la ragazza, questa zoppa sorridente sicura del fatto che stava per farmi precipitare dal mio santo trono e che mi avrebbe obbligato a peccare con lei davanti agli altri, dimodocché essi avrebbero potuto prendermi in giro e ridere di me, del santo la cui ipocrisia stava di fronte al mondo intero. Avanzava claudicando, svestendosi un poco a ognuno di quei suoi passi penosi, con un sorriso di trionfo sulle labbra umide, e io con la voce d'un re decaduto le gridavo di andar via, che era un demonio che voleva stregarmi e dannarmi. Lei però veniva avanti irresistibilmente, tra la folla prigioniera dell'orrore, quindi mi abbracciava le ginocchia e mi stringeva a sé, nascondendo quel piccolo piede zoppo, finché io non ce la facevo più e con un grido cadevo su di lei e gioiosamente ammettevo la mia debolezza mentre intorno a me cresceva il rombo d'una sommossa che svaniva a poco a poco in un tetro oblio.

E via così. Una per una, fu così che le presi tutte, rievocai le loro storie, le baciai dicendo loro addio, e le strappai in mille pezzi. Alcune riluttavano, non volevano essere distrutte, mi chiamavano e invocavano pietà dalle nebulose profondità di quei luoghi immensi nei quali ci eravamo amati in una bizzarra semi-incoscienza, e l'eco di quei loro lamenti si perdeva nella ombrosa oscurità di un Arturo Bandini confortevolmente seduto nella sua vasca da bagno a godersi la dipartita di cose che un tempo erano state, pur senza mai esserlo, vere.

Ma ce ne fu una in particolare che fui restio a distruggere. Lei sola mi costrinse a esitare. Fu quella che avevo chiamato la Piccola Ragazza. Quella che somigliava alla donna di un certo caso di assassinio verificatosi a San Diego; aveva ucciso il marito con un coltello e aveva confessato il suo crimine alla polizia ridendo. Io la incontravo nel crudo squallore della Los Angeles delle origini, prima che venissero i giorni della corsa all'oro. Per essere una piccola ragazza, era molto cinica, e molto crudele. La foto che avevo ritagliato dalla rivista poliziesca non lasciava nulla all'immaginazione. In effetti non era per niente una piccola ragazza. Io la chiamavo così, tutto qui. Era una donna che odiava la vista di me, il mio tocco, e che tuttavia mi trovava irresistibile: mi malediva, e tuttavia mi amava alla follia. Ci si vedeva in una capanna dal tetto di fango con gli scuri alle finestre, quando il calore della città aveva portato a dormire tutti i nativi sicché non c'era anima viva in giro per le strade di quella Los Angeles primigenia, e lì, distesa su un giaciglio, ansimava e mi malediva a mano a mano che i miei passi risuonavano lungo le strade deserte e infine alla sua porta. Mi faceva ridere, mi divertiva quel coltello che teneva in mano, come del resto le sue grida oscene. Diavolo d'un uomo. Il mio sorriso la disarmava, finalmente la mano che stringeva il coltello diveniva debole, e il coltello cadeva a terra, e lei si faceva piccola per la paura e per l'odio, e tuttavia era l'amore che si scatenava. Eccola qui, la Piccola Ragazza: fra tutte di gran lunga la mia favorita. Mi dispiacque distruggerla. Per lungo tempo dovetti pensarci su, perché sapevo che avrebbe trovato sollievo e tranquillità una volta che l'avessi distrutta, dal momento che non avrei più potuto tormentarla come un diavolo e possederla con la mia risata sprezzante. Ma il destino della Piccola Ragazza era segnato. Non potevo fare favoritismi. Feci a pezzi la Piccola Ragazza come le altre.

Quando l'ultima fu distrutta, i pezzi avevano ricoperto la superficie dell'acqua, e l'acqua al di sotto era invisibile. Tristemente, la tirai su. L'acqua aveva un colore nerastro di inchiostro venuto via. Era finita. Lo spettacolo era terminato. Ero contento di essermi risolto a questo audace passo, e di averle eliminate tutte insieme. Mi congratulai con me stesso per la fermezza del mio proposito, per l'abilità dimostrata nel portare a termine quel lavoro. Alla faccia del sentimentalismo, ero andato avanti spietatamente. Ero un eroe, e nessuno avrebbe potuto prendersi gioco delle mie azioni. In piedi, le guardai prima di tirar via il tappo. Piccoli pezzi di amore estinto. Via, nella fogna gli idilli sentimentali di Arturo Bandini! Via, al mare! Partite per un viaggio oscuro in una cloaca, lontano, fino alla terra dei granchi morti. Bandini aveva parlato. Tirate la catena!

Così fu fatto. Rimasi in piedi a salutare, grondando d'acqua.

«Addio» dissi. «Mi congedo da voi, oh donne. Oggi hanno riso di me in fabbrica, e vostra ne è stata la colpa, poiché voi avete avvelenato la mia mente e m'avete disarmato di fronte agli assalti della vita. Ma morte ora siete. Addio, addio per sempre. Colui che ha infiacchito Arturo Bandini, uomo o donna che sia, è destinato a una fine prematura. Ho detto. Amen.»

Tredici

Sveglio o addormentato, che importava? La odiavo, la fabbrica, e puzzavo sempre come una sporta piena di pesce. Non mi lasciava mai, quel tanfo di cavallo morto sul ciglio della strada. Mi inseguiva per via. Entrava con me nei palazzi. Quando la sera m'infilavo nel letto, eccolo ancora lì, come una coperta che tutto mi avvolgeva. Nei miei sogni, poi, c'era pesce, pesce e ancora pesce, sgombri che guizzavano qui e là dentro una pozza nera, e io legato a una trave che veniva calata in quella pozza. Il tanfo era nel mio cibo e nei miei abiti, me lo sentivo perfino sullo spazzolino da denti. A Mona e a mia madre capitava uguale. Alla fine era diventato così nauseabondo che quel venerdì mangiammo carne per cena. Mia madre non sopportava l'idea del pesce, anche se era peccato non mangiare pesce.

Fin da ragazzo mi era ripugnato anche il sapone. Non avrei mai creduto che mi sarei abituato a quella roba viscida e untuosa e al suo odore molliccio da effeminati. Adesso però lo usavo contro il tanfo di pesce. Facevo più bagni che mai. Un sabato feci due bagni, uno dopo il lavoro, e un altro prima di andare a letto. Ogni sera rimanevo nella vasca a leggere libri finché l'acqua diventava fredda e sembrava risciacquatura. Strofinavo il sapone sulla pelle finché non luccicava come una mela. Ma non aveva senso: era una pura perdita di tempo. L'unica maniera per sbarazzarsi di quell'odore era: piantare la fabbrica. Quando uscivo dalla vasca puzzavo sempre di due odori mischiati: sapone e pesce morto.

Tutti capivano chi ero e che cosa facevo quando mi sentivano arrivare. Essere uno scrittore non bastava a consolarmi. Sull'autobus ero riconosciuto all'istante, a teatro lo stesso. È uno di quei ragazzi del conservificio. Dio buono, sentite che odore? Era quel ben noto odore.

Una sera andai a teatro a vedere un film. Mi sedetti da solo, tutto solo in un angolino, io e il mio odore. La semplice distanza era però un ostacolo ridicolo per quella cosa. Che mi lasciò, uscì a farsi un giro e ritornò in forma di una cosa morta che fosse stata assicurata a un elastico. Fu un momento: le teste cominciavano a voltarsi. Ovvio: un operaio del conservificio era nei paraggi, da qualche parte. Facce accigliate, gente che annusava. Poi un brusio, e poi uno scalpiccio di piedi. La gente tutt'intorno a me si alzava e se la filava. Alla larga da quello là, è un operaio del conservificio. Fu così che non andai più al cinema. Ma non mi importava. Plebaglia.

La sera rimanevo a casa a leggere libri. Non osavo andare in biblioteca. Dissi a Mona: «Portami libri di Nietzsche. Portami il potente Spengler. Portami Auguste Comte e Immanuel Kant. Portami i libri che la plebaglia non può leggere».

Mona me li portò a casa. Li lessi tutti; per lo più erano molto difficili da capire, alcuni erano talmente ostici che mi toccò far finta di trovarli affascinanti, e altri erano così tremendi che dovetti leggerli ad alta voce, come un attore, per riuscire ad averne ragione. Di solito, però, ero troppo stanco per leggere. Una piccola sosta nella vasca da bagno era abbastanza. I caratteri fluttuavano davanti ai miei occhi come sospesi a un filo nel vento. Mi addormentavo. La mattina dopo, al suono della sveglia, mi ritrovavo svestito a letto, e mi domandavo come avesse fatto mia madre a non svegliarmi. E mentre mi rivestivo ripensavo ai libri che avevo letto la sera prima. Riuscivo a ricordare soltanto una frase qua e là, insieme col fatto che avevo dimenticato tutto.

Lessi anche un libro di poesie. Mi fece star male, quel libro, e mi dissi che non ne avrei letti più. Quella poetessa la odiavo. Avrei voluto farle passare un paio di settimane in un conservificio. Avrebbe cambiato tono.

Ma più di tutto pensavo ai soldi. Non avevo mai avuto molti soldi. Il massimo che avessi avuto in un colpo solo erano cinquanta dollari. Certe volte pigliavo un po' di carta tra le mani e facevo finta che fosse un fascio di banconote da mille. Mi mettevo davanti allo specchio e ne allungavo a sarti, concessionari di automobili, prostitute. A una prostituta diedi una mancia di mille dollari. Si offrì di trascorrere gratis con me i sei mesi successivi. Ne fui così colpito che le allungai un altro mille e glielo diedi per ragioni sentimentali. Al che lei promise di farla finita con quella vita. Suvvia mia cara, dissi, e le diedi il resto dei soldi: settantamila dollari.

A un isolato dal nostro condominio c'era il Banco di California. Di sera stavo alla finestra a contemplarlo, bello rigonfio e insolente laggiù all'angolo. Alla fine pensai al modo di rapinarlo senza essere preso. Di fianco alla banca c'era un lavasecco. L'idea era di scavare un tunnel dal lavasecco fino alla cassaforte della banca. Un'auto per la fuga avrebbe potuto attendere sul retro. Il Messico distava soltanto cento miglia.

Se non sognavo pesce, sognavo soldi. Mi svegliavo col pugno chiuso, pensando che dentro ci fossero soldi, o una pepita d'oro, e detestavo aprire la mano perché sapevo che era la mia mente che m'ingannava, e davvero non c'era ombra di soldi nella mia mano. Feci un voto, che se avessi mai guadagnato abbastanza soldi, avrei comprato la Soyo Fish Company, avrei fatto festa per una notte intera come il 4 luglio, e la mattina dopo le avrei dato fuoco e l'avrei rasa al suolo.

Al lavoro era dura. Di pomeriggio svaniva la nebbia e il sole picchiava. I raggi si spostavano dall'azzurro della baia verso quella specie di vassoio formato dalle colline di Palos Verdes, ed era come una fornace. Nel conservificio era peggio. Non c'era aria fresca, neanche quanto bastava a riempire una sola narice. Tutte le finestre erano inchiodate con chiodi arrugginiti, e il vetro era ricoperto di ragnatele e di unto. Il sole riscaldava il tetto di lamiera ondulata, lo faceva diventare una torcia, e spingeva il calore al di sotto. Un vapore bollente usciva dalle storte e dai forni. Altro vapore veniva dalle grosse vasche dei fertilizzanti. E questi vapori diversi si incontravano frontalmente – si poteva vederli – proprio là dove stavamo noialtri a sudare in mezzo al fragore dello scarico delle scatole.

Aveva ragione mio zio a proposito di quel lavoro: aveva proprio ragione. Era un lavoro da farsi senza pensare. Il cervello potevi pure lasciarlo a casa. Tutto quello che si faceva per tutto il santo giorno era star là a muovere le braccia e le gambe. Ogni tanto si spostava qualche peso, un poco alla volta. Se veramente uno voleva muoversi, bisognava che lasciasse la piattaforma per andare alla fontana o al lavatoio. Un sistema ce l'avevamo: facevamo a turno. Ognuno di noi si prendeva una decina di minuti a turno in lavatoio. Con quelle macchine in funzione non c'era bisogno di capi. Quando partiva l'etichettatura, al mattino, Shorty Naylor azionava l'interruttore e se ne andava. La sapeva lunga su quelle macchine. Non ci piaceva vederle prendere il sopravvento su di noi. Quando accadeva, la cosa ci urtava un po'. Non un dolore tipo uno che ti pianta uno spillo nel didietro; era piuttosto una forma di tristezza, qualcosa che alla lunga era anche peggio. Se ce la filavamo, c'era sempre qualcuno lungo il nastro che non lo faceva. E strillava. Lassù, all'inizio, dovevamo lavorare più duramente per riempire lo spazio sul nastro trasportatore, affinché lui potesse sentirsi meglio. A nessuno piaceva quella macchina. Filippini, italiani, messicani, non faceva differenza. Eravamo tutti scocciati. E ci voleva anche tanta attenzione. Come coi bambini. Ogni volta che si inceppava, il panico percorreva l'intero stabilimento. Tutto veniva fatto a puntino. Quando le macchine venivano spente era come un altro posto. Non più un conservificio, bensì un ospedale. Aspettavamo là intorno, ci parlavamo a sussurri finché i meccanici l'aggiustavano.

Lavoravo sodo perché dovevo lavorare sodo, e non mi lamentavo molto perché non c'era tempo di lamentarsi. Il più del tempo lo passavo ad alimentare la macchina pensando ai soldi e alle donne. Il tempo passava più facilmente con quei pensieri. Era il primo impiego che avessi avuto in cui meno pensavi al lavoro, e meglio ti riusciva. C'era molta passione nei miei pensieri di donne. Questo perché la piattaforma era in uno stato di perpetua vibrazione. Scivolavo da un sogno all'altro, e le ore passavano via stando là, appiccicato alla macchina nel tentativo di concentrarmi sul mio lavoro, in modo che gli altri ragazzi non potessero capire a che cosa stessi pensando.

Attraverso la foschia creata dal vapore riuscivo a vedere la porta aperta dall'altro lato dello stanzone. Laggiù c'era la baia azzurra spazzata da centinaia di pigri gabbiani sporchi. Sull'altro lato della baia c'erano i docks di Catalina. Ogni pochi minuti, al mattino, vaporetti e aeroplani lasciavano i docks alla volta dell'isola di Catalina, diciotto miglia al largo. Da quella porta nebulosa potevo vedere i galleggianti rossi degli aerei che si alzavano dall'acqua. I vaporetti partivano soltanto di mattina, ma per tutto il giorno gli aeroplani volavano verso la piccola isola diciotto miglia più al largo. I galleggianti rossi che grondavano acqua luccicavano alla luce del sole, spaventando i gabbiani. Da dove mi trovavo, però, riuscivo a vedere solamente i galleggianti. Solamente i galleggianti. Mai le ali, o la fusoliera.

E questo mi infastidì fin dal primo giorno. Volevo vedere l'aeroplano intero. Avevo visto molte volte gli aeroplani mentre andavo al lavoro. Mi fermavo sul ponte e osservavo i piloti che ci armeggiavano intorno, e conoscevo ogni aereo della flotta. Ma il vedere solamente i galleggianti attraverso quella porta, beh, era una cosa che mi ronzava in testa come una vespa. Pensavo le cose più folli. Mi figuravo che succedesse qualcosa nella parte invisibile dell'aereo, che passeggeri clandestini stessero appollaiati sulle ali. Avrei voluto correre alla porta per controllare. Avevo sempre come delle intuizioni. Di solito desideravo che fossero tragedie. Avrei voluto vedere esplodere gli aerei e i passeggeri affogare nella baia. Certe mattine venivo al lavoro con una sola speranza in testa: che qualcuno trovasse la morte nella baia. Riuscivo a esserne convinto. Il prossimo aereo, mi dicevo, il prossimo aereo non arriverà mai a Catalina: si schianterà in fase di decollo; ci sarà gente che urlerà, donne e bambini affogheranno nella baia; Shorty Naylor azionerà l'interruttore e andremo tutti a vedere i soccorritori impegnati nel recupero dei corpi. Certo che accadrà. È inevitabile. E pensavo di essere un sensitivo. E insomma tutto il santo giorno gli aeroplani partivano. Ma da dove stavo io si potevano vedere solamente i galleggianti. Avevo una voglia matta di scappare a vedere. Il *prossimo* salta in aria di sicuro. Emettevo certi suoni gutturali, mordendomi le labbra nell'attesa febbrile di quel prossimo aereo. Dopo un po' sentivo debolmente il rombo dei motori al di là del clangore della fabbrica, e lo cronometravo. La morte, infine! Ora muoiono! Arrivava il momento e cessavo di lavorare: fissavo la porta, smanioso di quello spettacolo. Gli aerei non sgarravano mai di un pelo nel decollo. La prospettiva inquadrata da quella porta non variava mai. Questa volta, come sempre, tutto ciò che avevo visto erano stati i galleggianti. Sospiravo. Vabbe'. Chissà, forse si schianterà oltre il faro, al limite del frangiflutti. Lo saprò tra un minuto. Suoneranno le sirene dei guardacoste. Ma le sirene non suonavano. Un altro aereo ce l'aveva fatta.

Quindici minuti dopo sento il rombo di un altro aereo. Noialtri si doveva star là. Ma al diavolo gli ordini. Saltai via dallo scarico delle scatole e corsi verso la porta. Il grande aereo rosso decollò. Lo vidi tutto, in ogni sua parte, una festa per i miei occhi poco prima della tragedia. Là fuori, dove non lo sapevo, la morte era in agguato. Questione di attimi e avrebbe attaccato. L'aereo procedeva al di sopra della baia, lanciato nell'aria, e andava verso il faro di San Pedro. Sempre più piccolo. L'aveva spuntata anche quello. Gli agitai contro il pugno.

«Verrà il tuo turno!» gridai. I ragazzi allo scarico mi osservavano stupiti. Mi sentivo un po' scemo. Mi voltai e tornai indietro. I loro occhi mi accusavano, come se fossi corso verso la porta cercando di uccidere un uccello magnifico.

D'un tratto mi apparvero in una luce diversa. Avevano un'aria così stupida. Lavoravano così duramente. Mogli da sfamare, sciami di bambini dalle facce sporche, un sacco di pensieri per via della bolletta della luce e del conto del salumiere: erano così lontani, così distanti, nudi in quelle loro tute sporche, con quelle stupide facce da messicani butterati, saturi di stupidità, e mi guardavano tornare fra loro, ritenendomi pazzo, dandomi i brividi. Scatarri appiccicaticci, colle gelatinose, piantati là, disarmati e disperati, con gli occhi tristi e rassegnati dei vecchi animali da soma. Che pensino pure che sono matto! Certo che sono matto! Bifolchi, zucconi, scemi! Non me ne frega niente dei vostri pensieri. Ero disgustato dal fatto di essere così vicino a loro. Avrei voluto colpirli, uno per uno, colpirli fino a che sarebbero divenuti un ammasso di piaghe e di sangue. Avrei voluto gridare loro di tenere lontano da me quei loro dannatissimi sguardi malinconici e imbronciati da cani bastonati, che stendevano una lastra nera sopra il mio cuore, come un sepolcro, una buca, una piaga, al di fuori della quale marciavano i loro morti in una processione che mi torturava, guidando altri morti dietro di loro: come in una parata, l'aspra sofferenza che vivevano attraversava il mio cuore.

La macchina sbatteva e strepitava. Presi posto accanto a Eusibio e lavorai: la solita routine, alimentare la macchina, rassegnato ormai di non essere un sensitivo. Quella tragedia avrebbe attaccato soltanto alla vigliacca, di notte. I ragazzi mi guardavano mentre riprendevo il lavoro, poi ripresero anch'essi, considerandomi ormai un maniaco. Niente fu detto. I minuti passavano. Fu un'ora più tardi.

Eusibio mi diede di gomito.

«Porque corre de quel modo?»

«Il pilota. Un mio vecchio amico. Il colonnello Buckingham. Stavo salutandolo.»

Eusibio scosse il capo.

«Stronzate, Arturo. Siempre stronzate.»

Quattordici

Dal mio posto al nastro trasportatore potevo anche vedere il California Yacht Club. Sullo sfondo c'erano i primi contrafforti verdi delle colline di Palos Verdes. Uno scenario italiano, dell'Italia che conoscevo dai libri. Vessilli a colori vivaci sventolavano agli alberi dei panfili. Più lontano c'erano le creste spumeggianti delle grandi onde che sbattevano contro i frangiflutti corrosi. Sui ponti dei panfili stavano sdraiati uomini e donne nei loro disinvolti costumi da bagno bianchi. Gente da favola. Del giro del cinema o dei circoli finanziari di Los Angeles. Gente dalle grandi ricchezze, e queste barche erano i loro giocattoli. Se gli veniva voglia, lasciavano il lavoro in città e venivano giù al porto a giocarci, e portavano con sé le loro donne.

E che donne! Mi mancava il respiro al solo vederle passare in quelle loro grosse automobili, così padrone di se stesse, così belle, a loro agio fra tutte quelle ricchezze, e con quanta eleganza scuotevano la cenere della sigaretta; i denti così curati e brillanti, gli abiti indossati in maniera così irresistibile, che le rivestivano di una perfezione capace di nascondere qualsiasi difetto corporeo, che le rendevano assolutamente perfette nella loro leggiadria. A mezzogiorno, quando le grosse automobili rombavano sulla strada di fianco allo stabilimento e noi stavamo fuori per la pausa-pranzo, le guardavo come un ladro sbircia i suoi gioielli. Ed esse mi parevano talmente distanti che finivo per odiarle, e l'odiarle me le rendeva più prossime. Un giorno sarebbero state mie. Avrei posseduto loro e le automobili che le trasportavano. Quando fosse venuta la rivoluzione sarebbero state mie, soggette al commissario Bandini: là, nel soviet di San Pedro.

E ricordo una donna in un panfilo. Duecento yarde al largo. A quella distanza non potevo vederne il volto. Soltanto i suoi movimenti mi erano chiari, mentre camminava sul ponte come una regina dei pirati in un costume da bagno bianco brillante. Andava su e giù per il ponte di un panfilo allungato pigramente, come un gatto, sull'acqua azzurra. Si trattava soltanto di una memoria, di un'impressione da raccogliersi mentre stavo lì allo scarico e guardavo fuori dalla porta. Soltanto una memoria, sì, eppure mi innamorai di lei, e fu la prima donna vera che amai. Il caso volle che si fermasse alla balaustrata per guardare in basso nell'acqua. Poi camminò ancora, con quelle cosce sontuose che andavano su e giù. Una volta si voltò e gettò uno sguardo su quel conservificio malmesso. Guardò per alcuni minuti. Non poteva vedermi, ma guardò proprio verso me. In quel preciso istante m'innamorai di lei. Deve essere stato amore, ma poteva anche essere il suo costume da bagno bianco. Da qualunque punto di vista esaminassi la questione, dovevo concludere che di amore si trattava. Dopo avermi guardato, si voltò e fece ancora qualche passo. Sono innamorato, dissi. Questo è dunque l'amore! Pensai a lei per tutto il giorno. Il giorno dopo, il panfilo se n'era andato. Fantasticavo su di lei, e benché la cosa non sembrasse molto importante, ero sicuro di esserne innamorato. Dopo un po' smisi di pensare a lei, che divenne appunto un ricordo, un puro pensiero per fare scorrere le ore allo scarico. Tuttavia la amavo: non mi vide mai, e io non vidi mai il suo volto, ma tutto ciò era amore. Non riuscivo a credere di averla amata, ma decisi che per una volta avevo torto, e che veramente la amavo.

Una volta una bellissima ragazza bionda entrò nel capannone etichettatura. Venne con un uomo dai baffi eleganti con le ghette ai piedi. Più tardi seppi che si chiamava Hugo. Era il proprietario di quel conservificio, e di altri a Terminal Island e a Monterey. Nessuno sapeva chi fosse la ragazza. Si teneva stretta al suo braccio, nauseata dall'odore. Capii che il posto non le piaceva. Era una ragazza di non più di vent'anni. Indossava un soprabito verde. La sua schiena era un arco perfetto, la doga di una botte, e calzava alte scarpe bianche. Hugo, distaccato, stava esaminando i locali, valutava il tutto. Lei gli sussurrò qualcosa. Lui sorrise e le diede un colpetto sul braccio. Insieme se ne andarono. Sulla porta la ragazza si voltò per darci un'occhiata. Io abbassai la testa, non volendo essere veduto da una così graziosa creatura in mezzo a tutti quei messicani e filippini.

Eusibio stava vicino a me allo scarico.

Mi diede di gomito e disse: «Te gusta, Arturo?».

«Non fare il fesso. È una troia, puro e semplice. Una troia capitalista. Quando viene la rivoluzione ha chiuso.»

Ma non dimenticai mai quella piccola ragazza col soprabito verde e le alte scarpe bianche. Ero sicuro che un giorno o l'altro l'avrei rivista. Forse dopo essere diventato ricco e famoso. Anche allora non avrei saputo il suo nome, ma avrei assoldato degli investigatori per farli stare alle costole di Hugo fino a quando non avrebbero individuato l'appartamento nel quale la teneva, virtualmente prigioniera di quella sua stupida ricchezza. Gli investigatori sarebbero tornati da me con l'indirizzo. Io sarei andato sul posto e avrei presentato il mio biglietto. «Non si ricorda di me» avrei sorriso.

«No. Temo di no.»

Ha! E allora le avrei detto di quella visita alla Soyo Fish Company, tanti anni prima. E di come io, povero giovane bianco in mezzo a quel mucchio di messicani e filippini ignoranti, ero stato talmente sopraffatto dalla sua bellezza che non avevo osato mostrare il mio viso. Quindi avrei riso. «Ma naturalmente sa chi sono ora.» L'avrei guidata verso lo scaffale dei libri, là dove le mie opere stavano in bella vista tra poche altre indispensabili, tipo la bibbia e il dizionario, e avrei tirato fuori il mio libro *Colosso del destino*, l'opera per la quale mi era stato conferito il premio Nobel.

«Le piacerebbe che glielo autografassi?»

Quindi, trasalendo, avrebbe capito.

«Dunque lei è Bandini, il famoso Arturo Bandini!»

Ha! E avrei riso di nuovo.

«In carne e ossa!»

Che giorno! Che trionfo!

Quindici

Passò un mese, con quattro paghe. Quindici dollari la settimana.

Non riuscii mai ad abituarmi a Shorty Naylor. Shorty Naylor, peraltro, non riuscì mai ad abituarsi a me. Non potevo parlargli, e nemmeno lui poteva parlarmi. Non era uomo da dirgli: Salve, come va? Annuiva e basta, lui. E non era uomo da discuterci sulla situazione del comparto conserviero o sulla politica mondiale. Era troppo freddo. Mi teneva a distanza. Mi faceva sentire come se fossi un dipendente. Già lo sapevo che ero un dipendente. Non vedevo perché mai dovesse rivoltare il coltello nella piaga.

La fine della stagione degli sgombri era prossima. Arrivò un pomeriggio che avevamo finito di etichettarne un'infornata da duecento tonnellate. Shorty Naylor apparve con una matita e un cartellone. Gli sgombri erano stati inscatolati, etichettati, ed erano pronti per andar via. Una nave da carico era ormeggiata ai docks, in attesa di trasportare il tutto in Germania, a un grossista di Berlino.

Shorty ci diede l'ordine di portare il carico ai docks. Mi asciugai il sudore sul viso mentre la macchina si fermava, e con fare amichevole e cordiale mi avvicinai a Shorty e gli diedi una pacca sulla schiena.

«Come vanno le cose nel comparto conserviero, Naylor?» dissi. «Come va la concorrenza norvegese?»

Lui si scrollò la mano dalla spalla.

«Trovati un carrello e va' a lavorare.»

«È un capo piuttosto duretto lei, Naylor» dissi. «Un capo piuttosto duretto.»

Feci una dozzina di passi e lui mi chiamò per nome. Tornai indietro.

«Sai com'è che si lavora con un carrello?»

Non ne avevo idea. Non sapevo nemmeno che i carrelli si chiamassero così. Ovvio che non sapevo com'è che si lavora con un carrello. Ero uno scrittore. Ovvio che non lo sapevo. Risi e mi sfilai la tuta di tela.

«Molto divertente! Se so com'è che si lavora con un carrello! E me lo chiede? Ha! Se so com'è che si lavora con un carrello!»

«Se non lo sai, dillo. Non devi prendermi in giro.»

Scossi il capo e guardai il pavimento.

«Se so com'è che si lavora con un carrello! E me lo chiede!»

«Beh, lo sai?»

«La sua domanda è patentemente assurda a prima vista. Se so com'è che si lavora con un carrello! Certo che so com'è che si lavora con un carrello. Naturalmente!»

Le labbra gli s'arricciarono come la coda di un topo.

«Dov'è che hai imparato come si lavora con un carrello?»

Mi rivolsi all'intero capannone. «Ora vuole sapere dov'è che ho lavorato con un carrello! Figuriamoci! Vuole sapere dov'è che ho imparato a lavorare con un carrello.»

«D'accordo, stiamo perdendo tempo. Dove? Te lo sto chiedendo: dove?»

Risposi sparato.

«Ai docks. Ai docks petroliferi. Facevo il cambusiere.»

I suoi occhi mi strisciarono addosso dalla testa ai piedi, e le sue labbra assunsero vari riccioli di stanchezza, l'uomo era sommamente disgustato e sprezzante.

«Un cambusiere! Tu!»

Rise.

Lo odiavo. L'imbecille. Lo scemo. Quel cane, quel topo, quel furfante. Quel topo con la faccia da furfante. Che ne sapeva lui? Era una bugia, certo. Ma che ne sapeva lui? Eccolo lì, quel topo, privo di una sola oncia di cultura, uno che probabilmente non aveva mai letto un libro in vita sua.

Mio Dio! Che poteva saperne lui di qualsiasi cosa? E poi. Non era nemmeno così grosso, con quella bocca sdentata e tabaccosa e con quegli occhi da topo lesso.

«Beh» dissi. «È un po' che ti tengo d'occhio, Saylor o Taylor, o Naylor, o come diavolo ti chiamano quaggiù in questo buco fetente, e non me ne frega un accidenti; e a meno che la mia prospettiva non sia del tutto distorta, non sei proprio così dannatamente grosso, Saylor, o Baylor, o Taylor, o Naylor, o come diavolo ti chiami.»

Una parola infame, troppo infame per essere ripetuta, gli colò da un angolo della bocca. Raspò sul cartellone, facendo finta di fare qualcosa che non mi risultò chiaro, e che peraltro non era che un fatto di pura ipocrisia, un trucco di quella sua anima vile; raspava come un topo, un topo incolto, e lo odiavo così fortemente che avrei potuto tranciargli un dito con un morso per poi sputarglielo in faccia. Guardatelo! Il topo che raspetta topesco su quel pezzo di carta come fosse un pezzo di formaggio, con quelle sue piccole zampette topesche, il roditore, il maiale, il topo di cantina, il topo di fondaco. Ma perché non diceva nulla? Ha! Perché alla fine aveva trovato pane per i suoi denti, ed era disarmato a petto di un uomo superiore.

Mi voltai verso la catasta di pesce già cartonato.

«Vedo che questa roba va in Germania.»

«Niente scherzi?» disse, continuando a raspare.

Non arretrai di fronte a questo suo stentato tentativo di essere sarcastico. Le spiritosaggini con me non attaccavano. Per contro, sprofondai in un severo silenzio.

«Di' un po' Naylor, o Baylor, insomma quel che è: che ne pensi della Germania moderna? Ti ritrovi nella Weltanschauung hitleriana?»

Nessuna risposta. Non una parola, soltanto un raspio. E perché? Perché Weltanschauung era troppo per lui! Troppo per qualunque topo. Lo confuse, lo fece rimanere di stucco. Era la prima volta, e sarebbe stata l'ultima, che sentiva pronunciare quella parola. Infilò la matita in tasca e scrutò al di sopra della mia spalla. Per farlo dovette sollevarsi sulle punte dei piedi: era un omuncolo affetto da un tale ridicolo nanismo!

«Manuel!» chiamò. «Oh, Manuel! Vieni qui un minuto.»

Manuel si fece avanti, impaurito, esitante, perché non era frequente che Naylor si rivolgesse a qualcuno per nome, a meno che non si trattasse di licenziarlo. Manuel aveva trent'anni, una faccia da affamato e zigomi sporgenti come uova. Lavorava davanti a me allo scarico delle scatole. Certe volte restavo a guardarlo a lungo per via dei suoi denti enormi. Erano bianchi come il latte, ma troppo grossi per quella sua faccia, e il suo labbro superiore non era abbastanza lungo da poterli coprire. Il vederlo mi faceva venire in mente i denti, e nient'altro.

«Manuel, mostra a questo qua come si lavora con un carrello.»

Lo interruppi. «Dubito che sia necessario, Manuel. Comunque, viste le circostanze, è lui che dà gli ordini da queste parti e, come si dice, un ordine è un ordine.»

Manuel, però, stava dalla parte di Shorty.

«Vieni» disse «che te mostro.»

Mi fece strada, mentre quella parola infame colava nuovamente dalla bocca di Shorty, e si poteva sentirla distintamente.

«Tutto ciò mi diverte» dissi. «È buffo, sai. Mi viene da ridere. Che vigliacco.»

«Te mostro. Vieni. Ordine del capo.»

«Il capo è un fesso. Un caso di dementia praecox.»

«No no! Ordine del capo. Vieni.»

«Assai divertente, e sia pure in un modo un po' macabro. Un caso per Krafft-Ebing.»

«Ordine del capo. No puedo farci niente.»

Andammo nella stanza in cui erano custoditi, e tirammo fuori un carrello per uno. Manuel spinse il suo all'aperto. Io lo seguivo. Era abbastanza facile. Dunque si chiamavano carrelli. Quand'ero bambino li chiamavamo birocci. Chiunque, purché fornito di un paio di mani, avrebbe potuto lavorare con un carrello. Vista da dietro, la testa di Manuel era come la pelliccia di un gatto nero tosata con un coltellaccio da macellaio arrugginito. L'attaccatura ricordava una scogliera. Era un taglio di capelli fatto in casa. Sulla tuta, all'altezza del sedere, aveva una toppa di tela bianca. Era cucita malamente, come se avesse usato uno spillone per capelli e un pezzo di spago. I tacchi erano consumati fino alla base, fradici, le suole risuolate con il cartone, fradicio, tenute insieme da grossi chiodi. Aveva un'aria così povera che mi faceva impazzire. Conoscevo un sacco di gente povera, ma Manuel non poteva essere *così* povero.

«Di' un po'» dissi. «Quant'è che guadagni, per amor di Dio?»

Uguale a me. Venticinque cents all'ora.

Mi guardava fisso negli occhi: era uno spilungone smilzo che guardava in basso, pronto a farsi da parte, coi suoi profondi occhi scuri e onesti, ma molto sospettosi. C'era in essi quella malinconia rassegnata tipica della maggior parte di quei peones.

Disse: «Te gusta el lavoro?».

«Mi diverte. In certi momenti.»

«A mi me gusta. Molto.»

«Perché non ti fai un paio di scarpe nuove?»

«No me lo puedo permettere.»

«Sei sposato?»

Annuì rapidamente e con forza, lusingato da quel suo matrimonio.

«Hai figli?»

Fu lusingato pure da quello. Aveva tre figli, in quanto alzò tre dita tutte storte e un sorriso lo illuminò.

«Come diavolo fai a vivere a un quarto di dollaro l'ora?»

Non sapeva. Signore, non sapeva, ma ce la faceva. Si mise una mano in fronte con un gesto di disperazione. Ci vivevano, sì; certo non era molto, ma passava un giorno e il giorno dopo erano ancora vivi.

«Perché non chiedi un aumento?»

Scosse il capo con violenza.

«Magari me buttano fuori.»

«Lo sai che cosa sei?» dissi.

No. Non lo sapeva.

«Sei un pazzo. Un pazzo fottuto, completo, scatenato. Ma guardati! Appartieni a una prosapia di schiavi. I tacchi delle classi dominanti ti schiacciano le costole. Perché non fai l'uomo, perché non scioperi?»

«No sciopero. No no. Me buttano fuori.»

«Sei un pazzo. Un pazzo fottuto. Guardati! Non hai neanche un paio di scarpe decenti. E guarda la tua tuta! E perdio, mi sembri perfino affamato. Hai fame?» Non voleva parlare.

«Rispondi, pazzo che sei! Hai fame?»

«No fame.»

«Sporco bugiardo.»

Si guardò i piedi senza smettere di ciabattare. Stava esaminandosi le scarpe. Quindi diede un'occhiata alle mie, che erano migliori delle sue sotto ogni profilo. Parve contento del fatto che avevo le scarpe migliori. Mi guardò in faccia e sorrise. Mi fece andare in bestia. Che senso aveva rallegrarsi per una cosa così? Avrei voluto prenderlo a pugni.

«Che carine» disse. «Cuanto le pagaste?»

«Chiudi il becco.»

Proseguimmo, io dietro di lui. Tutt'a un tratto fui così furioso da non poter tenere la bocca chiusa. «Tu sei un pazzo! Tu e il tuo laissez faire! Perché non butti giù questa fabbrica e non esigi il rispetto dei tuoi diritti? Esigi le scarpe! Esigi il latte! Guardati! Babbione di uno schiavo! E il latte dov'è? Perché non ti metti a gridare?»

Le braccia gli si tesero sopra il manubrio. La sua gola scura fu percorsa da una scarica di collera. Temetti di essermi spinto un po' troppo in là. Forse ci sarebbe stata una zuffa. Ma non fu così.

«Sta' zitto» sibilò. «Magari ci buttano fuori.»

Ma in quel posto c'era troppo rumore, uno stridere di ruote, un abbattersi di scatole, con Shorty Naylor a cento piedi di distanza sulla porta, occupato a controllare cifre e senza la possibilità di sentirci. Quando ebbi appurato che non c'erano problemi, decisi che non avevo ancora finito.

«Che mi dici di tua moglie e dei bambini? Quelle care piccole creature? Esigi il latte! Pensa a loro che muoiono di fame mentre i figli dei ricchi possono nuotarci, nel latte! Nuotarci! E perché mai le cose devono andare in questo modo? Forse che tu non sei un uomo come gli altri? Oppure sei un pazzo, un ebete, una mostruosa parodia della dignità ovvero l'antecedente primordiale dell'uomo? Mi senti? Oppure ti tappi le orecchie perché la verità ti fa male e sei troppo debole e pauroso per essere altro da un ablativo assoluto, da una prosapia di schiavi? Prosapia di schiavi! Prosapia di schiavi! Vuoi essere di una prosapia di schiavi! Tu ami l'imperativo categorico! Tu non vuoi latte, vuoi ipocondria! Sei una puttana, una troia, un magnaccia, una puttana del capitalismo moderno! Mi fai stare così male che mi viene da vomitare.»

«Già» disse. «Tu vomiti bene. Tu no scrittore. Tu vomito.»

«Io scrivo un sacco. La mia mente nuota in una fantasmagoria d'espressioni rovesciate.»

«Bah. Tu me fai vomitar, anche.»

«Scemenze! Bifolco brobdingnagiano!»

Cominciò ad accatastare scatole. A ognuna grugniva: erano molto in alto, difficili da raggiungere. Era inteso che doveva mostrarmi come farlo. Forse che il capo non aveva detto di stare a guardare? Bene, e io guardavo. Non era Shorty il capo? Bene, io rispettavo gli ordini. I suoi occhi lampeggiarono d'ira.

«Vieni! Lavora!»

«Non rivolgermi la parola, borghese di un proletario capitalista.»

Le scatole pesavano cinquanta libbre ciascuna. Lui ne impilò dieci, una sopra l'altra. Quindi diresse il muso del carrello al di sotto della pila e con le ganasce assicurò la scatola di sotto alla base del carrello. Non avevo mai visto carrelli di quel tipo. Ne avevo visti carrelli, ma non carrelli con le ganasce.

«Ancora una volta il Progresso drizza il capo. Le nuove tecniche si impongono perfino sull'umile carrello.»

«Sta' zitto e guarda.»

Con uno strattone sollevò il carico dal pavimento e lo bilanciò sulle ruote, con il manubrio all'altezza delle spalle. Era un trucco. Sapevo che non ci sarei riuscito. Lui spinse via il carico. Per quanto, se poteva farlo lui — lui, un messicano, uno che senza dubbio non aveva mai letto un libro in vita sua, uno che nemmeno l'aveva mai sentito nominare, il rovesciamento dei valori — allora potevo anch'io. Lui, questo povero peón, aveva trasportato dieci casse.

E tu allora che cosa farai, Arturo? È mai possibile che tu

venga superato da lui? No, mille volte no! Dieci casse. Bene. Io ne trasporterò dodici. Presi quindi il mio carrello. In quel momento Manuel ritornava per un secondo carico.

«Troppe» disse.

«Taci.»

Spinsi il carrello verso la pila e aprii le ganasce. Doveva succedere. Troppo dura. Sapevo che sarebbe successo. Non aveva senso cercare di superarlo, l'avevo sempre saputo, eppure lo feci. Ci fu uno sbilanciarsi e poi un tonfo. La catasta di casse crollò come una torre. Finirono dappertutto. La cassa più in alto si aprì tutta quanta. Le lattine saltarono fuori, le loro forme ovali filavano sul pavimento come cuccioli spaventati.

«Troppe!» gridò Manuel. «Te avevo detto. Troppe, dannazione!»

Mi voltai e urlai. «Vuoi chiudere quella maledetta bocca unta, accidenti di un peon messicano baciapile di un borghese proletario di un capitalista!»

La pila caduta si trovava lungo il percorso degli altri carrelli. Ci giravano attorno, si facevano strada scalciando le lattine che ne impedivano i movimenti. Mi inginocchiai e le raggruppai. Disgustoso: io, un bianco in ginocchio che raccoglieva lattine di pesce mentre tutto intorno a me, in piedi, c'erano questi stranieri.

Ben presto Shorty Naylor vide che cos'era successo. Venne di corsa.

«Pensavo che sapessi com'è che si lavora con un carrello a mano.»

Mi alzai.

«Questi non sono carrelli a mano. Questi sono carrelli a ganascia.»

«Non discutere. Metti a posto quel casino.»

«Ti preannuncio altri guai, Naylor. Roma non fu costruita in un giorno. C'è un vecchio proverbio da *Così parlò Zarathustra*...»

Agitò le mani.

«Lascia perdere, Cristo! Provaci ancora. Ma stavolta non caricarne così tante. Prova con cinque casse per volta finché non ti impratichisci.»

Feci spallucce. Oh beh, che altro potevo fare contro quella specie di bastione della stupidità? Non restava che essere coraggiosi, aver fede nella intrinseca dignità dell'uomo, aggrapparsi a un credo di progresso.

«Il capo sei tu» dissi. «Io sono uno scrittore, lo sai. Senza qualifica, io...»

«Lascia perdere! So tutto quanto! Tutti sanno che sei uno scrittore, tutti. Ma fammi un piacere, vuoi?» stava quasi implorandomi. «Prova a trasportare cinque casse, d'accordo? Solo cinque. Non sei o sette. Solo cinque. Vuoi fare questo per me? Prenditela comoda. Non ammazzarti. Solo cinque per volta.»

Andò via. Parole pronunciate a bassa voce si arrotolavano nel suo respiro: qualche oscenità dedicata a me. Così, allora! Feci marameo dietro la sua schiena che si ritirava. Lo disprezzavo: che persona meschina, che babbione dal vocabolario limitato, incapace di esprimere i suoi propri pensieri, per quanto rancorosi, se non attraverso il mezzuccio di un linguaggio infame. Topo. Era un topo. Un rancoroso topastro dalla lingua maligna che non sapeva nulla della Weltanschauung hitleriana.

Da pisciargli in testa.

Ritornai al proposito di raccogliere le scatolette cadute. Quando le ebbi radunate tutte, decisi che avrei preso un altro carrello. In un angolo ne trovai uno diverso dagli altri, a quattro ruote, una sorta di carro con un traino metallico. Era molto leggero e munito di un ampio piano di appoggio. Lo trascinai là dove i ragazzi stavano caricando i loro carrelli. Fece sensazione. Lo guardavano come se non lo avessero mai visto prima, esclamando in spagnolo. Manuel si grattò la testa, disgustato.

«E ora che fai?»

Io misi il carro in posizione.

«Non capiresti, manutengolo della borghesia.»

Quindi caricai. Non cinque scatole. Non dieci. E neanche dodici. Mentre continuavo a impilarle, mi rendevo conto delle possibilità insite in quel tipo di carro. Quando finalmente mi fermai, ne avevo caricate trentaquattro.

Trentaquattro volte cinquanta? Quanto faceva? Estrassi il

mio taccuino e la matita e feci l'operazione. Millesettecento libbre. E millesettecento volte dieci faceva diciassettemila libbre. Diciassettemila libbre significavano otto tonnellate e mezzo. Otto tonnellate e mezzo all'ora facevano ottantacinque tonnellate al giorno. Ottantacinque tonnellate al giorno facevano cinquecentonovantacinque tonnellate a settimana. Cinquecentonovantacinque tonnellate a settimana facevano trentamilanovecentoquaranta tonnellate l'anno. Con quel ritmo avrei trasportato trecentonovemilaquattrocento tonnellate all'anno. Pensa! E gli altri trasportavano appena cinquecento libbre a carico.

«Pista!»

Si fecero da parte e io cominciai a tirare. Il carico si muoveva lentamente. Provai a tirare alla rovescia, voltandomi verso il carro. Facevo pochi progressi perché i piedi mi scivolavano sul pavimento fradicio. Il carico era nel bel mezzo di tutto, direttamente sul percorso degli altri carrelli che andavano e venivano, il che provocò qualche confusione, non troppa peraltro. Finalmente il lavoro si fermò. Tutti i carrelli erano ammucchiati in mezzo allo stanzone, come un ingorgo nel traffico del centro. Shorty Naylor si precipitò dentro. Stavo tirando con forza, grugnivo e scivolavo, perdendo più terreno di quanto non riuscissi a guadagnarne. Ma non era colpa mia. Era colpa del pavimento, che era troppo scivoloso.

«Che diavolo succede qui?» gridò Shorty.

Mi riposai per un momento. Lui si diede una manata in fronte e scosse la testa.

«Che cosa stai combinando, *adesso*?»

«Trasporto casse.»

«Togliti dai piedi! Non vedi che stai bloccando il lavoro?»

«Ma guarda le dimensioni di questo carico! Millesettecento libbre!»

«Togliti dai piedi!»

«Qua c'è più del triplo...»

«T'ho detto di toglierti dai piedi!»

Scemo. Che cosa puoi farci con balordi del genere?

Per il resto del pomeriggio ne trasportai cinque per volta con un carrello a due ruote. Era un compito molto sgradevole. L'unico bianco, l'unico americano, ed eccolo là che trasportava la metà di quel che trasportavano gli stranieri. Dovevo fare qualcosa. I ragazzi non dicevano niente, ma ognuno di loro ghignava quando passava vicino a me e al mio miserabile carico da cinque.

Alla lunga trovai il modo di venirne fuori. L'operaio Orquiza prese una cassa dalla sommità della catasta, squilibrando tutto quel muro di casse. Gridando al pericolo corsi verso il muro e lo puntellai con le spalle. Non ce n'era bisogno, ma sostenevo il muro col mio corpo, con la faccia che mi si arrossava, quasi che il muro stesse per crollarmi addosso. I ragazzi disfecero rapidamente il muro. Nel frattempo io mi tenevo la spalla, gemendo e stringendo i denti. Me ne andai barcollando, a malapena potevo camminare.

«Tutto bene?» mi chiesero.

«Non è niente» sorrisi. «Non preoccupatevi, compagni. Penso di essermi slogato la spalla, ma è tutto a posto. Non dovete preoccuparvi di nulla.»

Così adesso, con la spalla slogata, non avevano più motivo di ghignare all'indirizzo del mio carico da cinque.

Quella sera lavorammo fino alle sette. La nebbia ci ostacolava. Io rimasi cinque minuti oltre l'orario. Temporeggiavo. Volevo vedere Shorty Naylor da solo. Avevo un paio di cosette da discutere con lui. Quando gli altri se ne furono andati e lo stabilimento rimase deserto, una strana, piacevole solitudine discese su di esso. Mi recai all'ufficio di Shorty Naylor. La porta era aperta. Stava lavandosi le mani con quel sapone in polvere concentrato, mezzo lisciva. Ne sentivo l'odore. Lui sembrava far parte della strana, vasta solitudine dello stabilimento; le apparteneva, come una trave del tetto. Per un momento sembrò triste e mite, un uomo con molte preoccupazioni, una persona come me, come tutti. A quell'ora di sera, in quell'edificio che lo esponeva a una così vasta solitudine, mi parve, dopotutto, una persona perbene. Ma avevo in testa una cosa. Bussai alla porta. Lui si voltò.

«Salve. Qual è il tuo problema?»

«Nessun problema» dissi. «Volevo soltanto conoscere il tuo punto di vista su una certa questione.»
«Bene, vuota il sacco. Di che si tratta?»
«Una piccola questione che avevo cercato di discutere con te questo pomeriggio.»
Stava asciugandosi le mani con uno strofinaccio nero.
«Non ricordo. Che cos'era?»
«Sei stato piuttosto incivile al proposito questo pomeriggio» dissi. «Forse non ne vuoi discutere.»
«Oh» sorrise. «Sai com'è quando uno ha da fare. Discutiamo, certo. Qual è il problema?»
«La Weltanschauung hitleriana. Qual è la tua opinione sulla Weltanschauung del Führer?»
«Che cos'è?»
«La Weltanschauung di Hitler.»
«Weltan... La cosa di Hitler?»
«La Weltanschauung di Hitler.»
«Ma che cos'è? Cos'è la Weltanschauung? M'hai fregato, ragazzo. Non so nemmeno che cosa significa!»
Feci un fischio e gli girai le spalle.
«Dio mio!» dissi «Non dirmi che non sai nemmeno che cosa significhi!»
Scosse la testa e sorrise. Non era molto importante per lui; non tanto importante quanto asciugarsi le mani, per esempio. Non aveva alcuna vergogna della propria ignoranza, non ne era neanche un poco scosso. In effetti, sembrava piuttosto compiaciuto. Con la lingua produssi un verso di riprovazione e arretrai oltre la porta, sorridendo senza speranza. Questo era quasi troppo per me. Che cosa potevo fare con un ignorantone di quella fatta?
«Beh, se non lo sai, beh, vuol dire che non lo sai, e forse non ha senso cercare di discuterne, se non sai e, insomma, beh, sembra che non lo sai, dunque, beh, buonasera, visto che non lo sai. Buonasera. Ci vediamo domattina.»
Rimase lì così sorpreso che si dimenticò di continuare ad asciugarsi le mani. E poi, all'improvviso, chiamò. «Ehi!» chiamò. «Che cos'è questa storia?»
Ma io me n'ero andato, mi affrettavo nell'oscurità dell'ampio magazzino, soltanto l'eco della sua voce poteva rag-

giungermi. Uscendo passai attraverso la stanza viscida e umida in cui gli sgombri venivano scaricati dalle barche da pesca. Ma stasera non c'erano sgombri, la stagione era appena terminata, e invece c'erano tonni, i primi veri tonni che avessi mai visto in così gran numero, il pavimento ne era ricoperto, ce n'erano migliaia sparpagliati su un tappeto di ghiaccio sporco, e quelle loro pance bianche che parevano cadaveri scintillavano nella semioscurità.

Alcuni di loro erano ancora vivi. Se ne poteva sentire qualche sporadico colpo di coda. Là, davanti a me, si agitava la coda di uno più vivo che morto. Lo trascinai fuori dal ghiaccio. Era assai freddo e ancora guizzava. Lo portai meglio che potei, trascinandolo anche, fino a che riuscii a issarlo sul tavolo da taglio dove le donne lo avrebbero preparato l'indomani. Era tremendo, pesava quasi cento libbre, razza d'un mostro di un altro mondo, che ancora aveva una grande forza in corpo, e una striscia di sangue da un occhio, là dove era stato arpionato. Forte come un uomo, mi odiava e cercò di scappare da quel tavolo. Io presi un coltellaccio e glielo puntai sotto le bianche branchie pulsanti.

«Mostro!» dissi. «Mostro nero! Sillabami la parola Weltanschauung! Avanti, sillabala!»

Ma era un pesce di un altro mondo: non poteva sillabare nulla. Il massimo che potesse fare era lottare per la propria vita, ed era già troppo stanco anche per questo. Purtuttavia, quasi riusciva a scappare. Gli assestai un pugno. Quindi affondai il coltello sotto le branchie, divertito da quel suo inutile ansare, e gli tagliai la testa.

«Quando ho detto di sillabare la parola Weltanschauung, volevo che lo si facesse!»

Lo scaraventai in mezzo agli altri suoi compagni sul ghiaccio.

«Disobbedire significa morire!»

Non ci fu risposta, a parte il debole sbattersi di una coda da qualche parte nell'oscurità. Mi pulii le mani su un sacco di tela e mi avviai verso casa.

Sedici

Il giorno dopo aver distrutto le mie donne mi pentii di averle distrutte. Se avevo da fare, o se ero stanco, non ci pensavo, ma la domenica era giorno di riposo, e bighellonavo in giro senza niente da fare: e allora Helen, e Marie, e Ruby, e la Piccola Ragazza erano tutto un mormorio frenetico, e mi chiedevano per quale motivo avessi avuto tanta fretta di distruggerle, volevano sapere se ne fossi pentito. Ne ero pentito.

Ora mi dovevo accontentare del loro ricordo. Ma il ricordo non bastava. Mi sfuggivano. Non erano più la realtà. Non potevo più tenerle e guardarmele come facevo con le figure. Andavo avanti e indietro in continuazione, pentito di averle distrutte, e mi davo dello sporco cristiano puzzone per averlo fatto. Pensai di metter su una nuova collezione, ma non era così facile. C'era voluto molto tempo per raccogliere quelle altre. Non è che potessi prendere e andare in cerca di donne del livello della Piccola Ragazza, e probabilmente non ci sarebbe stata mai più nella mia vita una donna pari a Marie. No, erano irripetibili. E c'era anche un'altra cosa che mi tratteneva dall'intraprendere una nuova collezione. Ero troppo stanco. Mi sedevo dove capitava con un libro di Spengler o Schopenhauer, e mentre leggevo continuavo a darmi del falso e del pazzo, perché ciò che avrei veramente voluto erano proprio quelle donne che non c'erano più.

Lo stanzino, adesso, era diverso, pieno di vestiti di Mona

e dell'odore disgustoso del disinfettante. Certe sere mi pareva di non riuscire a reggerlo. Camminavo su e giù sul tappeto grigio pensando a quanto erano orribili i tappeti grigi e mangiandomi le unghie. Non riuscivo a leggere nulla. Non mi andava di leggere un libro d'un grand'uomo, e mi capitava di domandarmi se, dopotutto, quegli uomini fossero davvero così grandi. Dopotutto: erano grandi quanto Hazel o Marie o quanto la Piccola Ragazza? Si poteva mai paragonare Nietzsche ai capelli dorati di Jean? Certe sere pensavo proprio di no. E Spengler, era forse grande quanto le unghie di Hazel? A volte sì, a volte no. C'erano tempo e luogo per ogni cosa, ma per quanto mi riguardava avrei preferito la bellezza delle unghie di Hazel piuttosto che dieci milioni di volumi di Oswald Spengler.

Rivolevo l'intimità del mio studio. Guardavo la porta chiusa dello stanzino e mi dicevo che era una pietra tombale oltre la quale non sarei mai più transitato. I vestiti di Mona! Mi veniva la nausea. Eppure non potevo dire a mia madre o a Mona di farmi la cortesia di spostare i vestiti da qualche altra parte. Non potevo presentarmi da mia madre dicendole: Per favore sposta quei vestiti. Non mi sarebbero venute le parole. Che rabbia. Mi pareva di essere diventato un babbione, un pusillanime.

Una sera mia madre e Mona non erano in casa. Così, per rievocare i bei tempi, decisi di fare visita al mio studio. Un corto viaggio sentimentale nel mondo di ieri. Chiusi la porta e mi fermai al buio pensando a tutte le volte che quella piccola stanza era stata la mia propria stanza, senza che mia sorella potesse punto profanarla. Ma non sarebbe mai più stato lo stesso.

Al buio allungai la mano e toccai i suoi vestiti appesi ai ganci del guardaroba. Parevano sudari di fantasmi, tonache di monache morte, milioni e milioni di monache fin dalla notte dei tempi. Era come se volessero sfidarmi: come se fossero lì al solo scopo d'importunarmi e distruggere la quieta fantasia di quelle mie donne che non erano mai state. Fui pervaso di amarezza, fu per me penoso anche il solo ricordo dei tempi andati. Ormai avevo quasi dimenticato quelle vecchie figure.

Affondai il pugno nelle pieghe di un vestito per impedirmi di scoppiare in lacrime. Nello stanzino c'era adesso un inconfondibile odore d'incenso e di rosarii, di gigli bianchi come a un funerale, di tappeti come nelle chiese della mia infanzia, di cera e di alte finestre scure, e di vecchie genuflesse durante la messa.

Era l'oscurità del confessionale, e in ginocchio davanti a un prete c'era un ragazzino di dodici anni chiamato Arturo Bandini, e gli diceva che aveva fatto qualcosa di tremendo, e il prete diceva a lui che niente era così tremendo da non poter essere detto in confessionale, e il ragazzino diceva che non era sicuro che quel che aveva fatto fosse peccato, ma era sicuro che nessun altro mai aveva fatto una cosa del genere, perché, padre, certo è buffo, cioè, non so come dirglielo; e alla fine il prete riusciva a cavarglielo, quel primo peccato d'amore, e lo ammoniva: che non lo facesse mai più.

Avrei voluto prendere a testate il muro dello stanzino e farmi tanto male da rimanere privo di sensi. Perché non buttavo fuori quei vestiti? Perché mai dovevano rammentarmi suor Mary Justin, e suor Mary Leo, e suor Mary Corita? Se non erro, sono io che pago il fitto di questo appartamento; se non erro, posso buttarle fuori. Ma, non so perché, qualcosa me lo impediva.

Dovevo essere più debole che mai, perché quand'ero forte non avrei esitato un solo momento: avrei fatto un fascio di quei vestiti, li avrei messi fuori dalla finestra e ci avrei sputato appresso. Ma il desiderio se n'era andato. Mi pareva sciocco arrabbiarmi e mettermi a far su vestiti. Il desiderio era morto. Svanito.

Ero lì, e mi ritrovai col pollice in bocca. Fui stupito di trovarcelo. Figurarsi. Io, a diciott'anni, e ancora mi succhiavo il pollice! Allora mi dissi: Se sei tanto coraggioso e impavido, perché non ti morsichi il pollice? Ti sfido a morsicarlo! Se non lo fai sei un vigliacco. E allora risposi: Così, eh? Bene, non sono un vigliacco. E te lo provo!

Mi morsicai il pollice finché non seppe di sangue. Sentii i denti contro la pelle più molle, si rifiutavano di affondare ulteriormente, e allora torsi lentamente il pollice fino a che i denti non la incisero. Il dolore esitò: si trasmise alle nocche, poi su per il braccio, arrivò quindi alla spalla e mi fu negli occhi.

Afferrai il primo vestito che mi capitò di toccare e lo lacerai. Guarda come sei forte! Fallo a pezzi! Strappalo tutto! E lo strappai con le mani e coi denti, emettendo grugniti da cane impazzito, rotolandomi sul pavimento, tirandomi il vestito tra le ginocchia, infierendo su di esso, imbrattandolo con quel pollice sanguinolento, imprecando e ridendo a mano a mano che cedeva alla mia forza e si sbrindellava.

Poi mi misi a piangere. Non per il dolore al pollice, quello non era niente. Era quella solitudine che mi faceva veramente male. Avrei voluto pregare. Erano due anni che non dicevo le preghiere, dal giorno in cui avevo lasciato il liceo e avevo incominciato a leggere così tanto. Ora però volevo pregare di nuovo, ero sicuro che mi avrebbe giovato, che mi avrebbe fatto sentire meglio, perché da bambino pregare mi faceva quell'effetto.

Caddi in ginocchio, chiusi gli occhi e provai a ricordare le parole di una preghiera. Le parole delle preghiere erano parole di un diverso tipo. Non ci avevo mai fatto caso prima di quel preciso momento. Fu allora che capii la differenza.

Ma le parole non mi venivano. Dovevo pregare, dire certe cose; in me c'era una preghiera, come un uovo che stesse per schiudersi. Ma non mi venivano le parole.

Non quelle delle vecchie preghiere, no di certo!

Non il Paternoster, quella che fa: Padre nostro che sei nei cieli, sia santificato il Tuo nome, venga il Tuo regno... A quella roba non ci credevo più. Non esistevano quei "cieli"; c'era semmai un inferno, sembrava probabile, ma una cosa come quei "cieli", quella no, non c'era.

Non l'Atto di Dolore, quello che fa: Mio Dio mi pento e mi dolgo dei miei peccati... Poiché l'unica cosa per la quale ero triste era la perdita delle mie donne, e quella era una cosa alla quale Dio si opponeva fieramente. O no? Ma sicuro, Egli doveva essere contrario. Fossi stato Dio, sarei sicuramente stato contrario. Difficile che Dio potesse essere favorevole alle mie donne. No. Era contro di loro.

C'era pur sempre Nietzsche, Friedrich Nietzsche.

Provai con lui.

Pregai: «Oh mio caro amatissimo Friedrich!».
Ma no. Mi sembrava di essere omosessuale.
Provai di nuovo. «Oh caro signor Nietzsche.» Peggio. Perché mi vennero in mente i ritratti di Nietzsche sui frontespizi dei suoi libri. Gli davano un aspetto da cercatore d'oro, col baffo mal curato, e io detestavo i cercatori d'oro.
Inoltre, Nietzsche era morto. Era morto da anni. Era uno scrittore immortale, le sue parole fiammeggiavano sulle pagine dei suoi libri, e aveva una grande influenza sulla nostra epoca, ma con tutto questo era morto, e io lo sapevo.
Allora provai con Spengler.
Dissi: «Mio caro Spengler».
Tremendo.
Dissi: «Ehilà, Spengler».
Tremendo.
Dissi: «Ascolta, Spengler».
Peggio.
Dissi: «Beh, Oswald, stavamo dicendo... ».
Brrr. Peggio ancora.
C'erano le mie donne. Anche loro erano morte; forse avrei potuto trovare qualcosa in loro. Una per una le provai tutte, ma non ebbi successo, perché come pensavo a loro diventavo subito irrefrenabilmente passionale. Come si poteva essere passionali e pregare nello stesso tempo? Era scandaloso.
Dopo aver pensato inutilmente a tutta quella gente, mi sentii stanco dell'idea ed ero sul punto di lasciar perdere, quando d'un tratto mi venne una buona idea, questa: non dovevo pregare Dio o altri, ma me stesso.
«Arturo, amico mio. Mio amatissimo Arturo. Pare che tu stia soffrendo così tanto, e così ingiustamente. Ma tu sei coraggioso, Arturo. Fai pensare a un poderoso guerriero, che porta i segni d'un milione di conquiste. Che ardimento, il tuo! Che nobiltà! Che bellezza! Ah, Arturo, davvero: quanto sei bello! Ti amo tanto, Arturo mio, mio grande, possente dio. Piangi dunque, Arturo. Lascia che le lacrime sgorghino: la tua vita è una lotta, un'aspra battaglia all'ultimo sangue, e nessuno lo sa tranne te, nessuno tranne te magnifico guerriero che combatti da solo, indefettibile, grande eroe del quale il mondo non ha mai conosciuto l'uguale.»

Mi lasciai andare sui talloni e piansi fino a quando non mi fecero male i fianchi. Aprii la bocca e cacciai un gemito, e — ah — era così bello, era così dolce piangere, tanto che ben presto stavo ridendo di piacere, ridevo e piangevo, le lacrime mi si riversavano sul viso e mi bagnavano le mani. Avrei potuto continuare così per ore.

Dei passi nel soggiorno mi fecero smettere. Erano i passi di Mona. Mi alzai e mi asciugai gli occhi, ma sapevo che erano rossi. Cacciandomi la gonna strappata sotto la camicia, uscii dallo stanzino. Tossicchiai, schiarendomi la gola, per far vedere che tutto era a posto.

Mona non sapeva che nell'appartamento ci fosse qualcuno. Le luci erano spente e tutto il resto, e lei pensava che il posto fosse deserto. Mi guardò con aria sorpresa, come se non mi avesse mai visto prima. Feci qualche passo di qua e di là, tossendo e canticchiando un motivetto, ma lei continuava a osservarmi, senza dire niente e tenendomi gli occhi addosso.

«Beh» dissi.«Di' qualcosa, su, spregiatrice del secolo.»

I suoi occhi erano puntati sulla mia mano.

«Hai un dito tutto... »

«Il dito è mio» dissi «razza di monaca intossicata da Dio.»

Chiusi a chiave la porta del bagno dietro di me e buttai il vestito sbrindellato giù per la presa dell'aria. Poi mi fasciai il dito. Restai davanti allo specchio a guardarmi. Amavo la mia faccia. Pensavo di essere una persona molto attraente. Avevo un bel naso diritto e una bocca magnifica, con le labbra più rosse di quelle di una donna, rossetto o non rossetto. I miei occhi erano grandi e chiari, la mascella leggermente sporgente, una mascella forte, una mascella che denotava carattere e autodisciplina. Sì, era una bella faccia. Una persona assennata ci avrebbe trovato tante cose interessanti.

Nello scaffaletto dei medicinali mi capitò sott'occhio l'anello nuziale di mia madre, era lì dove di solito lo lasciava dopo essersi lavata le mani. Presi l'anello nel palmo della mano e lo guardai stupito. E pensare che quest'anello, quest'umile pezzo di metallo, aveva sancito il legame coniugale che in seguito mi avrebbe prodotto! Era una cosa incredibile. Mio padre non poteva immaginare, nel comprare quest'anello, che esso avrebbe simbolizzato l'unione di uomo e donna dalla quale sarebbe scaturito uno dei più grandi uomini del mondo. Com'era strano trovarsi in quel bagno e rendersi conto di tutte queste cose! Questo pezzo di stupido metallo non poteva immaginare il proprio significato. Eppure un giorno sarebbe divenuto un oggetto da collezione d'incalcolabile valore. Già me lo vedevo, il museo, con quel brulicare di persone fra i cimeli di Bandini, e la voce del banditore, e infine un Morgan o un Rockefeller di domani che rilanciavano il prezzo fino a dodici milioni di dollari per quell'anello, soltanto perché era stato portato dalla madre di Arturo Bandini, il più grande scrittore che il mondo avesse mai conosciuto.

Diciassette

Passò una mezz'ora. Stavo leggendo sul divano. La fasciatura del pollice risaltava vistosamente. Mona, però, non fece altri commenti. Stava dall'altra parte della stanza, stava leggendo anche lei, e mangiava una mela. La porta d'ingresso si aprì. Era mia madre di ritorno dalla casa dello zio Frank. La prima cosa che vide fu il mio dito fasciato.

«Mio Dio» disse. «Cos'è successo?»

«Quanti soldi gli hai spillato?» dissi io.

«Ma... il tuo dito! Cos'è successo?»

«Quanti soldi gli hai spillato?»

Le sue dita armeggiarono nel borsellino consunto mentre continuava a lanciare occhiate al mio pollice fasciato. Era troppo eccitata, troppo spaventata per poter aprire il borsellino. Che cadde per terra. Lo raccolse, le sue ginocchia scricchiolarono, le mani si agitavano in tutte le direzioni, in cerca della cerniera del borsellino. Alla fine Mona si alzò e le tolse il borsellino. Del tutto esausta, e ancora preoccupata per il mio pollice, mia madre si accasciò su una sedia. Intuii che il cuore le stava battendo all'impazzata. Quando ebbe ripreso fiato, mi interrogò nuovamente sulla fasciatura. Io però stavo leggendo. Non risposi.

Rifece la domanda.

«Mi sono fatto male.»

«Come?»

«Quanti soldi gli hai spillato?»

Mona li stava contando, tenendo la mela tra i denti.

«Tre dollari e un po' di moneta» borbottò.
«Quanta moneta?» dissi. «Sii precisa, per favore. Mi piacciono le risposte esatte.»
«Arturo!» disse mia madre. «Che cosa è successo? Come hai fatto a farti male?»
«Quindici centesimi» rispose Mona.
«Il tuo dito!» disse mia madre.
«Dammi quei quindici centesimi» dissi.
«Vieni a prenderteli» disse Mona.
«Ma, Arturo!» disse mia madre.
«Dammeli!» dissi.
«Non sei mica cionco» disse Mona.
«Sì che è cionco!» disse mia madre. «Guardagli il dito!»
«Il dito è *mio*! E tu, dammi quei quindici centesimi!»
«Se li vuoi, vieni a prenderteli.»
Mia madre saltò su dalla sedia e venne a sedersi accanto a me. Prese a ravviarmi i capelli sugli occhi. Aveva le dita calde, e si era messa tanto di quel talco che aveva l'odore di un neonato, qualcosa come un neonato anziano. Mi alzai immediatamente. Lei protese un braccio verso di me.
«Quel tuo povero dito! Fammi vedere!»
Avanzai verso Mona.
«Dammi quei quindici centesimi.»
Non voleva. Stavano sul tavolo, ma lei si rifiutava di porgermeli.
«Eccoli là. Se hai voglia, prendili su.»
«Voglio che tu me li porga.»
Sbuffò, con l'aria schifata.
«Sei matto!» disse.
Misi le monete in tasca.
«Te ne pentirai» dissi. «Dio mi è testimone, verrà il giorno che dovrai pentirti di tanta impudenza.»
«Bene» disse lei.
«Sono stufo di fare la bestia da soma per un paio di parassiti femmina. Sappiate che ho quasi raggiunto l'apogeo del mio vigore. Da un momento all'altro potrei decidere di liberarmi da questi lacci e lacciuoli.»
«Bla bla bla» ghignò Mona. «Perché non te ne liberi adesso, stasera? Ci faresti tutte contente.»

Mia madre era rimasta completamente tagliata fuori. Stravolta, caracollava avanti e indietro, non riusciva a sapere nulla del mio dito. Per tutta la sera, la sua voce l'avevo percepita soltanto vagamente.

«Sette settimane al conservificio. Ne ho abbastanza.»

«Come hai fatto a farti male?» disse mia madre. «Magari la ferita si è infettata.»

Magari! Per un momento pensai che era possibile. Lavorando nelle condizioni anti-igieniche del conservificio, tutto era possibile. Forse, dunque, si era infettata. E questa era la mia ricompensa, la ricompensa di un povero ragazzo che lavorava giù in quel buco fradicio di sudore: infettarsi! La ricompensa di un povero ragazzo che lavorava per mantenere due donne perché così gli toccava di fare. La ricompensa di un povero ragazzo che non si lamentava mai: morire avvelenato per le condizioni del posto in cui si guadagnava il pane per sfamare quelle bocche. Avrei voluto scoppiare in lacrime. Mi voltai e gridai.

«Come mi sono fatto male? Te lo dico io come mi sono fatto male! Adesso saprai la verità. Adesso posso dirla. Conoscerai la demoniaca verità. Mi sono fatto male alle macchine! Mi sono fatto male perché sono schiavo di quel carnatico carnaio di una fabbrica! Mi sono fatto male perché le bocche a ventosa di due parassiti femmina dipendevano da me. Mi sono fatto male sottoponendomi a un principio di martirio. Mi sono fatto male perché il destino escludeva per me qualsiasi dogmatismo! Mi sono fatto male perché il metabolismo della mia esistenza escludeva per me qualsiasi inasprimento! Mi sono fatto male perché ho una brobdingnagiana nobiltà d'intenti!»

Mia madre era piena di vergogna, e non capiva nulla di quel che dicevo, purtuttavia intuiva ciò che stavo cercando di dire; stava a occhi bassi, imbronciata, lo sguardo innocentemente posato sulle proprie mani. Mona era ritornata alle proprie letture, masticava la mela e non mi badava. Mi rivolsi a lei.

«Nobiltà d'intenti!» gridai. «Nobiltà d'intenti! Mi senti, monaca? Nobiltà d'intenti! Ma ormai sono stufo di qualunque nobiltà. Insorgo. Vedo un'alba nuova per l'America, per me e per i miei compagni lavoratori che stanno giù in quel carnatico carnaio di fabbrica. Vedo una terra di latte e miele. L'ho messa a fuoco, visualizzata, ed ecco io dico Hail nuova America! Hail. Hail! Mi senti, monaca? Dico Hail! Hail! Hail!»

«Bla bla bla» disse Mona.

«Risparmiati i sarcasmi, ridicolo mostro!»

Nella sua gola si produsse un verso sprezzante, quindi si spostò col suo libro. Adesso mi dava la schiena. Per la prima volta notai il libro che stava leggendo. Era un libro della biblioteca, nuovissimo, con una copertina rossa brillante.

«Cos'è che stai leggendo?»

Nessuna risposta.

«Nutro il tuo corpo. Penso di avere il diritto di sapere che cos'è che nutre la tua mente.»

Nessuna risposta.

«Non parli, dunque?»

Mi avventai e le strappai il libro dalle mani. Era un romanzo di Kathleen Norris. La bocca mi si spalancò in un rantolo nel momento in cui quell'incresciosa situazione mi si rivelava. Così dunque stavano le cose in casa mia! Mentre sudavo sangue, mentre mi rompevo le ossa in fabbrica per poter nutrire il suo corpo, questo, questo era ciò che nutriva la sua mente! Kathleen Norris. E questa era l'America moderna! Non c'era da meravigliarsi del declino dell'Occidente! Non c'era da meravigliarsi della disperazione del mondo moderno. Così, dunque! Io, povero ragazzo, mi riducevo in pezzi, facevo del mio meglio per potere dar loro una decente vita familiare, e questa, questa era la ricompensa! Barcollai, misurai la distanza dal muro, mi trascinai verso di esso, mi ci lasciai ricadere di spalle e là mi piegai, rantolando, cercando di rifiatare.

«Mio Dio» gemetti «mio Dio.»

«Cosa succede?» disse mia madre.

«Cosa succede! Te lo dico io. Guarda che cosa sta leggendo! Oh Dio onnipotente! Oh Dio abbi pietà dell'anima sua! E pensare che intanto io faccio lo schiavo, io, un povero ragazzo, son lì che mi scortico la carne delle mani, e lei? Eccola là che legge queste schifezze da vomito. Oh Dio, dammi la forza! Aumenta il mio vigore! Impediscimi di strangolarla!»

Quindi feci a brandelli il libro. I pezzi caddero sul tappeto. Li schiacciai coi tacchi. Ci sputai sopra, ci sbavai sopra, mi raschiai la gola e infierii. Quindi li raccolsi, li portai in cucina e li buttai nel bidone della spazzatura.

«E adesso riprovaci» dissi.

«Era un libro della biblioteca» sorrise Mona. «Dovrai pagarlo.»

«Preferirei marcire in galera.»

«Su, su!» disse mia madre. «Perché tutto questo?»

«Dove sono quei quindici centesimi?»

«Fammi vedere il pollice.»

«Ho detto: dove sono quei quindici centesimi.»

«Li hai in tasca» disse Mona. «Pazzo.»

Uscii.

Diciotto

Attraversai il cortile della scuola, diretto al Jim's Place. I quindici centesimi mi tintinnavano in tasca. I miei passi risuonavano sulla ghiaia del cortile. Ecco una buona idea, pensai, cortili di ghiaia in tutte le prigioni, buona idea; qualcosa che valeva la pena di ricordare. Fossi stato prigioniero di mia madre e di mia sorella, sarebbe stato del tutto vano cercare di scappare con quel rumore. Una buona idea, era il caso di pensarci su.

Jim era nel retrobottega, stava leggendo una schedina delle corse. Aveva appena finito di installare una nuova mensola di liquori. Mi ci fermai davanti a esaminare le bottiglie. Alcune erano assai carine, cosa che rendeva più invitante il loro contenuto.

Jim ripiegò la schedina e mi venne incontro. Sempre impersonale com'era, aspettava che fosse l'altro a parlare. Stava mangiando un dolcetto. Cosa piuttosto inusuale. Era la prima volta che lo vedevo con qualcosa in bocca. Non mi piaceva l'aria che tirava. Diedi un colpetto sulla scatola dei liquori.

«Voglio una bottiglia di acqua di fuoco.»

«Salve!» disse lui. «Come va il lavoro al conservificio?»

«Tutto bene, direi. Ma stasera penso che mi ubriacherò. Non mi va di parlare del conservificio.»

Vidi una piccola bottiglia di whiskey, una bottiglia da cinque once che pareva piena di oro liquido. Me la mise a dieci centesimi. Mi sembrò piuttosto ragionevole. Gli chiesi se quello era un buon whiskey. Disse che era un buon whiskey.

«Proprio il migliore» disse.

«Venduto. Ti prendo in parola e lo compro senza ulteriori commenti.»

Gli porsi i quindici centesimi.

«No» disse. «Basta un diecino.»

«Dài, fatti qualche spicciolo extra. È una mancia, un gesto di cordialità, di amicizia.»

Con un sorriso, non accettò. Insistevo nel porgerglieli, ma lui alzò il palmo della mano e scosse il capo. Non riuscivo a capire perché rifiutava sempre le mie mance. Non che gliele offrissi soltanto di rado, al contrario, tentavo di dargliele ogni volta; in effetti, era l'unica persona a cui avessi mai offerto una mancia.

«Non ricominciamo con questa storia» dissi. «Ne do sempre, di mance. Per me è una questione di principio. Io sono come Hemingway. Lo faccio sempre, è un riflesso condizionato.»

Con un grugnito prese i soldi e se li infilò nei jeans.

«Jim, sei un tipo strano: un carattere donchisciottesco fornito di eccellenti qualità. Sorpassi quanto di meglio la massa ha da offrire. Mi piaci perché hai una bella testa.» Questo lo rese nervoso. Avrebbe preferito parlare di altre cose. Si ravviò i capelli sulla fronte e si passò una mano sul collo, spingendo come se stesse cercando di pensare a qualcosa da dire. Io svitai il tappo della bottiglia e la sollevai. «*Saluti!*» e via una sorsata. Non sapevo perché avessi comprato quel liquore. Era la prima volta in vita mia che spendevo soldi per quella roba. Lo odiavo, il gusto del whiskey. Ritrovarmelo in bocca fu una sorpresa, eppure c'era per davvero, e prima ancora di rendermene conto stava già facendo il suo effetto, mi costringeva a stringere i denti ed era già a mezza via giù per la gola, scalciava e graffiava come un gatto che stesse affogando. Il gusto era tremendo, come di capelli bruciati. Me lo sentivo che scendeva, che combinava strane cose nel mio stomaco. Mi leccai le labbra.

«Stupendo! Avevi ragione. È stupendo!»

Ce l'avevo alla bocca dello stomaco, era lì che si rivoltolava a più non posso in cerca di un posto dove sistemarsi: mi grattai forte, di modo che il bruciore esterno potesse eguagliare il bruciore interno.

«Magnifico! Superbo! Straordinario!»

Una donna entrò nel negozio. Con la coda dell'occhio la vidi e fu un lampo; stava avvicinandosi al banco delle sigarette. Allora mi voltai e la guardai. Avrà avuto trent'anni, forse più. L'età non importava: era lì, e questa era la cosa importante. In lei non c'era nulla di eccezionale. Era del tutto normale, eppure quella donna mi prendeva. La sua presenza si impose e mi tirò fuori il fiato dalla gola. Una specie di diluvio elettrico. Il mio corpo tremava d'eccitazione, mi accorsi del mio essere senza fiato e del sangue che aveva accelerato la sua corsa. Indossava un vecchio soprabito viola stinto con un collo di pelliccia applicato. Non si era accorta di me. Non pareva accorgersi neanche di se stessa. Diede uno sguardo nella mia direzione e poi girò il viso verso il banco. In un lampo vidi quel suo viso bianco. Scomparve dietro il collo di pelliccia e non lo vidi mai più.

Uno sguardo era però sufficiente. Non avrei mai più dimenticato quel viso. Era d'un bianco febbricitante, come la foto segnaletica di una criminale. Aveva occhi affamati, grigi, grandi, gli occhi di una donna pedinata. I capelli erano di qualunque colore. Neri e castani, chiari e tuttavia scuri: non ricordavo. Ordinò un pacchetto di sigarette battendo sul banco con una moneta. Non parlava. Jim le porse il pacchetto. Quella donna non gli faceva alcun effetto. Per lui era soltanto un altro cliente.

Stavo ancora guardando. Sapevo che non dovevo fissarla a quel modo, tuttavia non me ne curai. Sentivo che se soltanto mi avesse visto in faccia non avrebbe avuto niente da obiettare. La sua pelliccia era di finto scoiattolo. Il soprabito era vecchio e liso sull'orlo, che le arrivava alle ginocchia. Le stava stretto, slanciandone la linea. Le calze erano grigioazzurre, scure, rigate nei punti in cui c'erano delle smagliature. Le scarpe erano azzurre, coi tacchi consumati e le suole logore. Io sorridevo e la guardavo sicuro del fatto mio: non ne ero intimorito. Una donna come la signorina Hopkins mi scombussolava e mi faceva sentire assurdo, ma non succedeva così con le donne delle figure, per esempio, e neanche con questa donna. Era così facile sorridere, era così spudoratamente facile; era così divertente sentirsi tanto impudico. Volevo dire qualcosa di sconcio, qualcosa di insinuante, tipo: Urca! posso prendere tutto quello che hai da offrire, piccola sgualdrina. Ma lei non mi vide. Senza voltarsi, pagò le sigarette, uscì dal negozio e proseguì per Avalon Boulevard, dalla parte del mare.

Jim registrò l'incasso e tornò da me. Cominciò a dire qualcosa. Senza dirgli una parola, uscii. Semplicemente uscii di lì e mi misi a seguire quella donna per la via. Era a più di una dozzina di passi da me, andava di fretta verso il lungomare. Io non ero precisamente consapevole del fatto che le stavo andando dietro. Quando realizzai la cosa, arrestai il passo e feci schioccare le dita. Ma va'? Dunque sei un maniaco! Un maniaco sessuale! Bene bene bene, Bandini, non pensavo che saremmo arrivati a questo: sono sorpreso. Esitavo, strappandomi certi grossi pezzi dell'unghia del pollice e sputandoli via. Ma non volevo pensarci, a quello. Preferivo pensare a lei.

Non era aggraziata. Aveva una camminata decisa, sul brutale; camminava in modo spavaldo, come per dire: Azzardati a fermarmi! Camminava pure un po' a zig-zag: spostandosi da un lato all'altro dell'ampio marciapiede, a volte sul ciglio, a volte quasi andando a sbattere contro le vetrine alla sua sinistra. Ma non aveva importanza come camminasse, quella figura intabarrata in un vecchio soprabito viola. Aveva un'andatura ampia e pesante. Da parte mia, mantenni la distanza che c'era fra noi all'inizio.

Mi sentivo come una frenesia: un delirio d'impossibile felicità. Quell'odore di mare, la dolcezza pulita e salata dell'aria, la fredda, cinica indifferenza delle stelle, l'intimità di quelle strade che all'improvviso si riempivano di risate, l'opulenza sfacciata della luce nell'oscurità, il languido bagliore di quella falce di luna crescente: amavo tutto questo. Avrei voluto strillare, fare dei rumori curiosi, dei rumori nuovi con la gola. Era come camminare nudi in una vallata piena di belle ragazze da tutte le parti.

Circa mezzo isolato più avanti, d'improvviso mi ricordai

di Jim. Mi voltai per vedere se stava sulla porta per capire come mai mi fossi precipitato fuori. Si trattò di una sensazione spiacevole, e colpevole. Lui però non c'era. Il davanti del suo piccolo negozio illuminato era deserto. Per tutta la sua lunghezza, Avalon Boulevard non mostrava alcun segno di vita. Guardai le stelle. Parevano così tristi, così fredde, così insolenti, così lontane e talmente altezzose: così presuntuose. I lampioni accesi illuminavano il viale come se fosse appena incominciato il crepuscolo.

Attraversai il primo incrocio nel momento in cui lei raggiunse l'entrata del teatro all'isolato successivo. Stava guadagnando terreno, ma glielo concessi. Non mi sfuggirai. Oh, bella signora, ti sono alle costole e non hai scampo. Ma dove stai andando, Arturo? Ti rendi conto che stai pedinando una ben strana donna? Non lo avevi mai fatto, questo. Che cosa ti anima? Adesso incominciavo ad avere paura. Mi vennero in mente le radiopattuglie della polizia. Lei però mi trascinava avanti. Ah, ne ero prigioniero, proprio così. Mi sentivo in colpa, ma sentivo pure che non stavo sbagliando. Dopotutto, sono qua per fare giusto un poco di esercizio notturno; sto facendo una passeggiata prima di ritirarmi, agente. Abito lassù, agente. È più di un anno che ci abito, agente. Mio zio Frank. Lo conosce, agente? Frank Scarpi? Ma certo, agente! Lo conoscono tutti, mio zio Frank. Un brav'uomo. Ve lo dirà lui, che sono suo nipote. No, non c'è bisogno di farmi rapporto, viste le circostanze.

Mentre camminavo, il pollice fasciato mi urtava di continuo la coscia. Abbassai lo sguardo ed eccola là, quell'orribile fasciatura bianca, che mi urtava a ogni passo, che si muoveva insieme col movimento del braccio, quel grosso schifosissimo grumo bianco, bianco e luccicante, come se ogni lampione della strada sapesse di lui e del perché si trovasse lì. Ne ero disgustato. A pensarci! Si è morsicato il pollice fino a far uscire il sangue! Si figura un uomo sano di mente che fa una cosa del genere? Le dico che è pazzo, signore. Ha fatto certe cose strane, signore. Le ho mai detto di quella volta che uccise tutti quei granchi? Penso che il ragazzo sia matto, signore. Suggerirei di incriminarlo e di sottoporlo a perizia psichiatrica. E allora mi strappai la fasciatura e la buttai in un tombino. E mi rifiutai di pensarci ancora.

La donna continuava ad allungare la distanza che c'era fra noi. Adesso si trovava mezzo isolato più avanti. Io non riuscivo a camminare più svelto. Stavo procedendo lentamente e mi dissi di affrettare un poco, ma l'idea dei poliziotti mi indusse a rallentare. La polizia del porto era quella della stazione centrale di Los Angeles; sbirri assai duri per un compito duro, prima ti arrestavano, poi ti dicevano perché ti avevano arrestato, e sbucavano sempre dal nulla, mai a piedi, ma sempre a bordo di certe silenziose, veloci Buick.

«Arturo» mi dissi «ti stai certamente cacciando nei guai. Sarai arrestato come un degenerato!»

Degenerato? Che sciocchezza! Non potevo fare una passeggiata se ne avevo voglia? Quella donna laggiù? Non so nulla di lei. Questo è un paese libero, perdio. Che cosa posso farci se lei sta andando nella mia stessa direzione? Se non le piace, beh, che se ne vada per un'altra strada, agente. Comunque, questa è la mia strada preferita, agente. Frank Scarpi è mio zio, agente. Testimonierà che faccio sempre una passeggiata per questa strada prima di ritirarmi. Dopotutto, questo è un paese libero, agente.

All'incrocio successivo la donna si fermò per accendere un fiammifero sfregandolo contro il muro della banca. Poi si accese una sigaretta. Il fumo rimase sospeso nell'aria ferma come un palloncino azzurro tutto storto. Mi diedi una mossa e accelerai. Quando arrivai a quelle nuvolette immobili, mi sollevai sulle punte dei piedi e le spinsi in basso. Il fumo della *sua* sigaretta! Ah!

Sapevo dove era caduto il fiammifero. Ancora pochi passi e lo raccolsi. Ed eccolo lì, sul palmo della mia mano. Un fiammifero straordinario. Nessuna percettibile differenza rispetto agli altri fiammiferi, eppure era un fiammifero straordinario. Era mezzo bruciato, era un fiammifero di pino dolcemente profumato e molto bello, come un pezzo d'oro raro. Lo baciai.

«Fiammifero» dissi. «Ti amo. Il tuo nome è Henrietta. Ti amo con tutta l'anima.»

Lo misi in bocca e incominciai a masticarlo. La parte carbonizzata aveva il sapore di una prelibatezza, di un pino agrodolce, friabile e squisito. Delizioso, eccellente. Proprio il fiammifero che lei aveva tenuto tra le sue dita. Henrietta. Il miglior fiammifero che abbia mai mangiato, signora. Mi permetta di congratularmi con lei.

Ora stava procedendo più svelta, c'erano vapori di fumo sulla sua scia. Passando, li acchiappavo. Ah. Il movimento dei suoi fianchi assomigliava a una danza di serpenti. Me lo sentivo nel petto e sulle punte delle dita.

Ora stavamo avanzando verso i caffè e le sale da biliardo sul lungomare. L'aria della notte sgocciolava voci di uomini nello schiocco lontano delle palle da biliardo. Davanti alla Acme apparvero improvvisamente dei cambusieri, con le stecche da biliardo tra le mani. Dovevano aver sentito lo schiocco dei tacchi della donna sul marciapiede, perché erano venuti fuori di colpo, e ora stavano lì, in attesa.

Lei sfilò davanti a una teoria di occhi muti che la seguirono con un lento spostamento di colli: cinque uomini che oziavano sull'uscio. Io ero cinquanta piedi indietro. Li detestavo. Uno di loro, un mostro con una gottazza in tasca, si tolse il sigaro di bocca ed emise un breve fischio. Sorrise all'indirizzo degli altri, si schiarì la gola ed espettorò uno sputacchio argentato sul marciapiede. Detestavo quel ruffiano. Lo sapeva che c'era un'ordinanza comunale che vietava di sputare sui marciapiedi? Era al corrente delle leggi del vivere civile? O era soltanto un incolto mostro umano che non poteva far altro che sputare e sputare per pura bestialità, per un'abominevole, viziosa necessità del suo corpo che lo costringeva a eruttare quel suo vile umore ogniqualvolta gli veniva? Se solo avessi saputo il suo nome! Lo avrei deferito al dipartimento d'igiene e gli avrei fatto causa.

Raggiunsi quindi la Acme. Gli uomini osservarono anche me mentre passavo, ciondolavano tutti in cerca di qualcosa da guardare. La donna si trovava adesso in una zona in cui tutti gli edifici erano neri e vuoti, una lunga fila di povere vetrine nere toccate dalla Depressione. Per un momento si fermò davanti a una di queste vetrine. Poi proseguì. Qualcosa, nella vetrina, aveva catturato il suo sguardo e l'aveva trattenuta.

Quando raggiunsi la vetrina vidi di cosa si trattava. Era la vetrina dell'unico negozio ancora attivo in quella zona. Una bottega di roba di seconda mano, di roba pignorata. L'orario d'ufficio era passato da molto e il negozio era chiuso; la vetrina era piena di bigiotteria, utensili, macchine per scrivere, valigie, macchine fotografiche. Una scritta diceva: Compro oro vecchio ai prezzi più alti. Siccome sapevo che aveva letto quella scritta, la lessi e la rilessi più volte. Compro oro vecchio ai prezzi più alti. Compro oro vecchio ai prezzi più alti. Ora l'avevamo letta entrambi, lei e io, Arturo Bandini e la sua donna. Magnifico! Non aveva sbirciato attentamente verso il fondo del negozio? E così avrebbe fatto Bandini, poiché quello che faceva la donna di Bandini, lo faceva pure Bandini. Un lumicino ardeva sul fondo, dentro una piccola bugia. La stanza era ripiena di articoli di seconda mano. In un angolo, dietro una rete di protezione, c'era una scrivania. Gli occhi della mia donna avevano visto tutto questo, e io non l'avrei dimenticato.

Mi girai per seguirla ancora. All'incrocio successivo scese dal marciapiede proprio nel momento in cui il semaforo segnava AVANTI. Io avanzai svelto, impaziente d'attraversare, ma il segnale cambiò in STOP. Al diavolo i semafori rossi. L'amore non tollera barriere. Bandini deve passare. Avanti, verso la vittoria! E attraversai ugualmente. Lei stava a soli venti piedi da me, il mistero sinuoso delle sue forme m'invadeva. Presto l'avrei raggiunta. A questo non ci avevo pensato.

Bene Bandini: e adesso cosa fai?

Bandini non indugia. Bandini sa cosa fare, vero Bandini? Certo che sì! Le dirò dolci parole. Le dirò salve, mia amata! È proprio una bella serata, ti dispiace se faccio due passi assieme a te? Conosco qualche bella poesia, tipo il Canto di Salomone e quella là lunga di Nietzsche sulla voluttà, quale preferisci? Lo sapevi che ero uno scrittore? Ma certo! Scrivo per la Posterità. Facciamo due passi fino alla riva del mare così ti dico delle mie opere, della mia prosa per la Posterità.

Ma quando la raggiunsi qualcosa di strano ebbe luogo.

Eravamo fianco a fianco. Tossii e mi schiarii la gola. Stavo per dire: Salve, mia cara signora. Ma qualcosa mi si bloccò in gola. Non potevo più fare nulla. Non potevo nemmeno guardarla, perché la testa si rifiutava di girare sul collo. La mia audacia era svanita. Pensai che stavo per svenire. Sto crollando, mi dissi: ho un collasso. E allora accadde quel qualcosa di strano: presi a correre. Alzai i tacchi, tirai indietro la testa e me la diedi a gambe come uno scemo. Coi gomiti che stantuffavano avanti e indietro, con le narici che si riempivano d'aria salata, corsi come un corridore delle Olimpiadi, un mezzofondista che sprintava verso casa protendendosi per la vittoria.

E ora che stai facendo, Bandini? Perché corri?

Mi va di correre. Perché? Suppongo che posso correre se ne ho voglia, o no?

I miei passi risuonavano per le strade deserte. Stavo acquistando velocità. Porte e vetrine mi sfilavano accanto rapide in uno stile entusiasmante. Non mi ero mai accorto di possedere una tale velocità. Oltrepassando la Longshoremen's Hall ad andatura sostenuta, feci un'ampia conversione in Front Street. I lunghi magazzini proiettavano ombre nere sulla strada, e fra loro c'era l'eco convulsa dei miei passi. Adesso ero ai docks, col mare dall'altra parte della strada, oltre i magazzini.

Non ero altri che Arturo Bandini, il più grande mezzofondista negli annali dell'atletica americana. Gooch, il possente campione olandese, Sylvester Gooch, il demone della velocità venuto dal paese dei mulini a vento e degli zoccoli di legno, mi stava cinquanta piedi avanti, e quel possente olandese stava impegnandomi nella corsa della mia carriera. Avrei vinto? Le migliaia di uomini e donne sugli spalti se lo chiedevano, specialmente le donne, dal momento che ero conosciuto scherzosamente tra i cronisti sportivi come "il trottafemmine", poiché ero tremendamente popolare tra le tifose. Gli spalti stavano applaudendo freneticamente. Le donne levavano le braccia e mi imploravano di vincere, per l'America. Forza Bandini! Forza Bandini! Oh Bandini! Quanto ti amiamo! E le donne erano preoccupate. Ma non c'era nulla di cui preoccuparsi. La situazione era sotto controllo, e lo sapevo. Sylvester Gooch si stava stancando; non riusciva a tenere il passo. E io stavo risparmiandomi per quelle cinquanta yarde finali. Sapevo di poterlo battere. Non temete, mie signore, voi che mi amate, non temete! L'onore dell'America dipende dalla mia vittoria, lo so, e quando l'America ha bisogno di me, mi troverete sempre qua, nel cuore della battaglia, impaziente di offrire il mio sangue. Con falcate lunghe, superbe, eleganti, sferrai il mio attacco quando mancavano cinquanta yarde. Mio Dio, guardatelo! Gridolini di gioia dalle gole di migliaia di donne. A dieci passi dal nastro spiccai un balzo in avanti, tagliandolo un quarto di secondo prima del possente olandese. Sugli spalti, un pandemonio. Gli operatori dei cinegiornali mi si affollavano intorno, chiedevano una mia parola. Per favore Bandini, *per favore*! Appoggiato ai docks della American-Hawaiian ansimai senza respiro e, sorridendo, acconsentii a rilasciare una dichiarazione a quei ragazzi. Un bel gruppo di amici.

«Voglio salutare mia madre» biascicai. «Sei lì, mamma? Ciao! Vedete, signori, quando ero un ragazzo, laggiù in California, dopo la scuola dovevo fare un giro di consegna dei giornali. A quell'epoca mia madre era in ospedale. Ogni sera pareva lì lì per morire. Ed è così che ho imparato a correre. Con la terribile consapevolezza che avrei potuto perdere mia madre prima di terminare le mie copie della *Wilmington Gazette*, correvo come un pazzo, ultimando il giro e slanciandomi quindi per altre cinque miglia fino all'ospedale. Quello è stato il mio campo di allenamento. Voglio ringraziarvi tutti, e voglio salutare ancora una volta mia madre laggiù in California. Ciao mamma! Come stanno Billy e Ted? Il cane sta bene?»

Risate. Mormorii sulla mia semplice, naturale modestia. Congratulazioni.

Ma dopotutto, non c'era chissà quale gusto a sconfiggere Gooch, benché si trattasse di una grande vittoria. Mi mancava il fiato, ed ero stanco di essere un olimpionico della corsa.

Era per via di quella donna col soprabito viola. Dov'era adesso? Tornai alla svelta sui miei passi, verso Avalon Boulevard. Non si vedeva. A parte i cambusieri dell'isolato successivo e le farfalle notturne che volteggiavano attorno ai lampioni, il viale era deserto.

Pazzo! L'hai perduta. È andata via per sempre.

Cominciai a girare attorno all'isolato in cerca di lei. In lontananza sentii il latrare di un cane poliziotto. Era Herman. Sapevo tutto di Herman. Un cane da postino. Era un cane sincero: non solo abbaiava, mordeva pure. Una volta mi aveva inseguito per svariati isolati e mi aveva strappato i calzini sulle caviglie. Decisi di cessare le ricerche. Si stava facendo tardi, comunque. L'avrei cercata un'altra sera. La mattina dopo dovevo essere al lavoro presto. E così mi avviai verso casa, risalendo Avalon.

Rividi la scritta: Compro oro vecchio ai prezzi più alti. Mi provocò un rimescolio perché l'aveva letta anche lei, la donna dal soprabito viola. Aveva visto e percepito tutto questo: il negozio, il vetro, la vetrina, le cianfrusaglie all'interno. Aveva camminato lungo questa strada precisa. Questo preciso marciapiede aveva provato il fardello incantato del suo peso. Aveva respirato quest'aria e aveva sentito l'odore del mare. Il fumo della sua sigaretta si era mescolato con esso. Ah, è troppo! È troppo!

All'altezza della banca toccai il punto in cui aveva sfregato il fiammifero. Eccolo, sui miei polpastrelli. Magnifico. Un piccolo frego nero. Oh, frego, il tuo nome è Claudia. Oh Claudia, ti amo. Ti bacerò per provarti la mia devozione. Mi guardai intorno. Non c'era nessuno nel raggio di due isolati. Mi sporsi e baciai quel frego nero.

Ti amo, Claudia. Ti chiedo di sposarmi. Nient'altro conta nella vita. Anche i miei scritti, quei volumi per la posterità, non significano nulla senza te. Sposami, o andrò ai docks e mi butterò a testa in giù. E baciai di nuovo il frego nero.

E fu allora che, con orrore, mi accorsi che tutto il fronte della banca era ricoperto di striature e di freghi lasciati da migliaia e migliaia di fiammiferi. Sputai di disgusto.

Il suo segno doveva essere un segno unico, qualcosa di simile a lei, semplice eppure misterioso, un frego di fiammifero quale il mondo non aveva mai visto prima. Lo troverò, dovessi cercarlo per sempre. Mi senti? Per sempre. Fino a che sarò vecchio rimarrò qui, cercando e cercando quel misterioso segno del mio amore. Gli altri non mi scoraggeranno. Ora incomincio: una vita intera o un solo minuto, che importanza ha?

Dopo meno di due minuti lo trovai. Ero sicuro della sua origine. Un piccolo segno, così debole da essere quasi invisibile. Soltanto lei poteva averlo lasciato. Magnifico. Un segnetto minuscolo che terminava con un minimo accenno di eleganza, c'era in esso del senso artistico, era un segno che sembrava un serpente sul punto di attaccare.

Ma stava venendo qualcuno. Avevo sentito rumore di passi sul marciapiede.

Era un uomo molto vecchio con la barba bianca. Aveva con sé un bastone e un libro, e aveva un'aria assorta. Claudicava col suo bastone. Aveva occhi molto brillanti e piccoli. Io mi rintanai sotto l'arcata finché non fu passato. Quindi riemersi e ricoprii quel segno di baci selvaggi. Ti scongiuro nuovamente di sposarmi. Nessun uomo ha mai custodito amor più grande di codesto. Il tempo e la marea non aspettano alcuno. Un punto in tempo ne salva cento. Pietra smossa non fa muschio. Sposami!

D'un tratto la notte fu scossa da un lieve tossire. Era il vecchio. Aveva proseguito per circa cinquanta yarde e si era voltato. Era là, appoggiato al suo bastone, e mi osservava attentamente.

Rabbrividendo di vergogna mi affrettai nella direzione opposta. Alla fine dell'isolato mi voltai. Ora il vecchio era tornato indietro verso il muro. Anche lui stava esaminandolo. E adesso stava guardandomi. Raggelai al pensiero. Ancora un isolato e mi voltai di nuovo. Era ancora lì, quell'orrido vecchio. Il resto della strada verso casa lo feci di corsa.

Diciannove

Mona e mia madre erano già a letto. Mia madre russava lievemente. In soggiorno, il divano letto era stato tirato fuori, il mio letto era stato fatto, il cuscino era stato slacciato. Mi svestii e ci entrai. I minuti passavano. Non riuscivo a dormire. Provai da supino e poi di fianco. Quindi provai a mettermi a pancia sotto. I minuti passavano. Li sentivo ticchettare dalla sveglia nella camera da letto di mia madre. Passò una mezz'ora. Ero perfettamente sveglio. Mi rigiravo e avvertivo una pena psicologica. Qualcosa andava storto. Passò un'ora. Cominciai ad arrabbiarmi perché non riuscivo a dormire, e presi a sudare. Buttai via le coperte e rimasi così, cercando di pensare a qualcosa. Dovevo alzarmi di buon'ora. Non sarei stato in forma, al conservificio, senza un adeguato riposo. Ma i miei occhi erano cisposi e mi bruciavano se cercavo di chiuderli.

Era per via di quella donna. Quell'ondeggiare della sua figura in strada, il bagliore del suo viso bianco e febbricitante. Il letto diventò intollerabile. Accesi la luce e una sigaretta, che mi bruciò in gola. La buttai via e mi risolsi a smettere di fumare per sempre.

Di nuovo a letto. A rivoltolarmi. Quella donna. Quanto la amavo! Le volute di quella sua figura, la fame che si leggeva nei suoi occhi da animale cacciato, la pelliccia sul collo, la smagliatura della calza, quel che provavo nel petto, il colore del suo soprabito, l'incarnato di quel volto, il formicolio nelle mie dita, quel fluttuare appresso a lei giù per la via, l'algido brillio delle stelle, il muto slittamento di quella calda falce di luna, il sapore del fiammifero, l'odore del mare, la morbidezza della sera, i cambusieri, lo schiocco delle palle da biliardo, le nuvole di musica, le volute della sua figura, la musica di quei tacchi, la sua camminata decisa, il vecchio col libro, la donna, la donna, la donna!

Ebbi un'idea. Buttai da parte le coperte e saltai giù dal letto. Che idea! Mi si presentò come una valanga, come una casa che crolla, come un vetro che va in frantumi. Sentivo in me un fuoco, una frenesia. Nel tiretto c'erano carta e matita. Tirai fuori il tutto e mi precipitai in cucina. In cucina faceva freddo. Accesi il forno e ne aprii lo sportello. Seduto nudo incominciai a scrivere.

AMORE SENZA FINE
ovvero
LA DONNA AMATA DALL'UOMO
ovvero
OMNIA VINCIT AMOR
di
Arturo Gabriel Bandini

Tre titoli.

Meraviglioso! Un inizio superbo. Tre titoli, così, come niente! Sbalorditivo! Incredibile! Un genio! Un genio per davvero!

E quel nome. Ah, suonava splendidamente. Arturo Gabriel Bandini. Un nome da includere nella lunga serie degli immortali: un nome per i secoli dei secoli. Arturo Gabriel Bandini. Un nome che suonava perfino meglio di Dante Gabriel Rossetti. E anche lui era italiano. Apparteneva alla mia razza.

Scrissi: "Arthur Banning, il petroliere plurimilionario, tour de force, prima facie, petit maître, table d'hôte, e grande amatore di donne sconvolgenti, magnifiche, esotiche, zuccherine, simili a costellazioni, sparse in ogni parte del mondo, a ogni angolo del globo, donne a Bombay, India, la terra del Taj Mahal, di Gandhi e di Buddha; donne a Napoli, terra dell'arte e della fantasia italiane; donne sulla Riviera; donne a Lake Banff; donne a Lake Louise; sulle Alpi

Svizzere; all'Ambassador Coconut Grove di Los Angeles, California; donne al celebre Pons Asinorum in Europa; questo Arthur Banning, dunque, rampollo di una vecchia famiglia della Virginia, terra di George Washington e di grandi tradizioni americane; questo Arthur Banning, alto e attraente, sei piedi e quattro pollici senza tacchi, distingué, coi denti come perle e un certo tratto brillante, penetrante, stravagante, per il quale le donne andavano in brodo di giuggiole in massa, questo Arthur Banning stava sul ponte del suo potente panfilo, il Larchmont VIII, molto ammirato e mondialmente celebre, e con occhi spietati, mascolini, virili, occhi potenti, osservava i raggi color carminio, rossi, bellissimi, dell'Astro del Giorno, meglio noto come sole, immersi nelle fosche, fantasmagoriche, nere, acque dell'Oceano Mediterraneo, da qualche parte nel sud dell'Europa, nell'anno di Nostro Signore, millenovecentotrentacinque. Ed eccolo là, quel rampollo d'una ricca, famosa, potente, magniloquente, famiglia, un galant'omo, con il mondo ai suoi piedi e la grande, potente, stupefacente, fortuna dei Banning, a sua disposizione; eppure; mentre stava colà; c'era qualcosa che angustiava Arthur Banning, alto, incupito, attraente, abbronzato, dai raggi dell'Astro del Giorno: e, ciò che lo angustiava, era che, benché avesse viaggiato per molte terre e molti mari, e, fiumi, anche, e benché facesse all'amore, e, avesse relazioni amorose, di cui tutto il mondo era a conoscenza, per il tramite della stampa, la potente stampa, che tutto macina, egli, Arthur Banning, questo rampollo, era infelice, e benché ricco, famoso, potente, era solo e, prigione d'amore. Mentre così incisivamente se ne stava là sul ponte del suo Larchmont VIII, il più bello, il più elegante, il più potente, panfilo, mai costruito, si chiedeva se la ragazza dei suoi sogni, l'avrebbe incontrata presto, se lei, la ragazza, dei suoi sogni, sarebbe stata in qualche modo simile alla ragazza, dei suoi sogni infantili, già, quand'era un ragazzino, e sognava sulle rive del fiume Potomac, nella favolosa, ricca, munita proprietà del padre, oppure sarebbe stata povera?

"Arthur Banning accese la sua costosa, graziosa, pipa, di radica, e si rivolse a uno dei suoi subalterni, nient'altro che un assistente, e, chiese al subalterno un fiammifero. Quel degno, famoso, ben noto, ed, esperto, personaggio, nel mondo delle barche, e nel mondo navale, uomo di reputazione internazionale, nel mondo delle barche, e, della nautica da riporto, non impugnò, bensì proofferse il fiammifero con un rispettoso inchino di ossequio, e, il giovane Banning, attraente, alto, lo ringraziò educatamente, quantunque con una punta di malagrazia, e, poi, richiamò quel suo sognare donchisciottesco a proposito della fortunata ragazza che un giorno sarebbe stata la sua sposa e la donna dei sogni più sfrenati.

"In quel momento, un momento di silenzio, arrivò un improvviso, aspro, orrendo, grido, dall'orrendo labirinto di quel mare salmastro, un grido che si mescolò con lo sbattere delle frigide onde contro la prora del prode, famoso, costoso, Larchmont VIII, un grido di dolore, un grido di donna! Il grido di una donna! Un commovente grido di aspra agonia e immortalità! Un grido d'aiuto! Aiuto! Aiuto! Con una rapida occhiata alle acque tempestose, il giovane Arthur Banning, maturò un'intensa fotosintesi d'irreggimentazione, i suoi acuti, begli, attraenti, azzurri, occhi, scrutarono il mare mentre si sfilava la sua costosa giacca da sera, una giacca che era costata dollari cento, e rifulse dello splendore della sua gioventù, quel suo giovane, ben proporzionato, atletico, corpo, che aveva conosciuto le battaglie del football a Yale, e, del calcio, a Oxford, in Inghilterra, e come un dio greco proiettava la propria ombra contro i rossi raggi dell'Astro del Giorno, poi si tuffò nelle acque azzurre del Mediterraneo. Aiuto! Aiuto! Aiuto! Proveniva quel grido agonizzante da una donna disperata, una povera, donna, mezza nuda, denutrita, provata dalla miseria, vestita d'indumenti dozzinali, che stava provando la cruda morsa glaciale di una, tragica morte, tutto intorno a sé. Sarebbe morta senza soccorso? Era la prova del fuoco, e, sans ceremonie, e, defacto, l'attraente Arthur Banning si tuffò."

Avevo scritto tutto questo di getto. Mi era venuto così rapidamente che non avevo avuto il tempo di fare i trattini sulle t o i puntini sulle i. Adesso c'era tempo di tirare il fiato e compitare, e l'occasione di rileggere. Lo feci.

Ha!

Una cosa splendida! Superba! Non avevo mai letto una cosa simile in tutta la mia vita. Stupefacente. Mi alzai, mi sputai sulle mani, e me le strofinai.

Via! Chi vuole combattere con me? Combatterò con ogni dannatissimo matto in questa stanza. Posso dare una ripassata al mondo intero. Quella sensazione non assomigliava a nessun'altra al mondo. Ero un fantasma. Fluttuavo e mi libravo e ridevo e fluttuavo. Era troppo. Chi se l'immaginava che sarei stato capace di scrivere in quel modo? Mio Dio! Stupefacente!

Andai alla finestra e guardai fuori. Stava calando la nebbia. Una bellissima nebbia. Guarda che bellissima nebbia. Le lanciai baci. La accarezzai con le mani. Cara Nebbia, sei una fanciulla in una veste bianca e io sono un cucchiaio sul davanzale. È stata una giornata calda, e io sono tutto caldo, dunque ti prego baciami, cara nebbia. Volevo saltare, vivere, morire, volevo... dormire da sveglio in un sogno senza sogni. Che cose meravigliose. Che meravigliosa chiarezza. Stavo morendo, ero morto, ed ero immortale. Ero il cielo e non lo ero. C'era troppo da dire, e non c'era maniera di dirlo.

Ah, guarda la stufa. Chi ci poteva credere? Una stufa. Figurarsi. Una bella stufa. Oh stufa ti amo. D'ora in poi sarò fedele, verserò il mio amore su di te a ogni ora. Oh stufa, colpiscimi. Colpiscimi su un occhio. Oh stufa, che belli sono i tuoi capelli. Lasciamici fare pipì, perché ti amo così follemente, tesoro, stufa immortale. E la mia mano. Eccola. La mia mano. La mano che aveva scritto. Signore, una mano. E che mano. La mano che ha scritto. Tu, io e la mia mano e Keats. John Keats e Arturo Bandini e la mia mano, la mano di John Keats Bandini. Splendido. Oh mano arcano grano mondano.

Sì, l'avevo scritto io.

Signore e signori del comitato, del comitatuccio leggiadribelluccio, l'ho scritto io, signore e signori, l'ho scritto io. Sì, sicuro. Non lo nego: una piccola cosa, per dir così, niente di speciale. Epperò grazie per le vostre parole gentili. Sì, voglio bene a tutti. Davvero. Voglio bene a tutti, belli cari buoni e brutti. Voglio bene specialmente alle signore, alle donne, alle gnocche. Aspettate che mi spogli e fatevi avanti. Una per volta, per favore. Tu, laggiù, bella puttanella bionda. Ti possiederò per prima. Presto, per favore, il mio tempo è limitato. Ho un sacco di lavoro da fare. C'è così poco tempo. Sono uno scrittore, sapete, i miei libri, no?, l'immortalità, no?, la fama, no?, lo sapete, la fama, lo sapete, vero? La fama e tutto il resto, bof, un mero accidente nella vita d'un uomo. Non ho fatto altro che sedermi a quel tavolino là. Con una matita, certo. È un dono di Dio, senza dubbio. Certo, credo in Dio. Naturalmente, Dio. Il mio buon amico Dio. Ah, grazie, grazie. Il tavolo? Naturalmente. Per il museo? Naturalmente. No no. Non c'è bisogno di far pagare il biglietto. I bambini: loro fateli entrare gratis, assolutamente. Voglio che tutti i bambini possano toccarlo. Oh grazie. Grazie. Sì, accetto il dono. Grazie, grazie a voi tutti. Ora andrò in Europa e nell'Unione Sovietica. La gente in Europa mi sta aspettando. Gente stupenda, quegli europei, stupendi. E i russi? Li amo, amici miei i russi. Addio, addio. Sì, voglio bene a tutti voi. È il lavoro, che ci volete fare. Ce n'è così tanto: le mie opere, i libri, i volumi.

Addio, addio. Mi sedetti e scrissi ancora. La matita grattava la pagina. La pagina si riempiva. Voltavo pagina. La matita procedeva fino alla fine. Un'altra pagina. Da capo a fondo. Le pagine crescevano. Dalla finestra entrò la nebbia, fredda e discreta. Ben presto la stanza ne fu piena. Continuavo a scrivere. Pagina undici. Pagina dodici.

Alzai lo sguardo. La luce del giorno. Nebbia da soffocare. Era finito il gas. Avevo i crampi alle mani. Avevo una vescica sul dito che reggeva la matita. Mi bruciavano gli occhi. Mi faceva male la schiena. A malapena mi tolsi dal freddo. Ma non mi ero mai sentito meglio in vita mia.

Venti

Quel giorno al conservificio non filò dritto. Mi schiacciai un dito allo scarico. Ma grazie a Dio non riportai danni. La mano che aveva scritto non fu toccata. Toccò all'altra mano, la sinistra; la mia mano sinistra non vale molto comunque, tagliatemela se volete. A mezzogiorno mi addormentai ai docks. Quando mi svegliai ebbi paura di aprire gli occhi. Ero diventato cieco? La cecità aveva stroncato così presto la mia carriera? Ma aprii gli occhi, e grazie e Dio vedevo ancora. Il pomeriggio avanzava come lava. Qualcuno fece cascare una scatola che mi colpì su un ginocchio. Non importava. Qualunque parte di me, signori: ma risparmiate i miei occhi e la mia mano destra.

Quando fu ora di andare, mi affrettai verso casa. Presi l'autobus. Con il mio unico nichelino. Sull'autobus mi addormentai. Era l'autobus sbagliato. Dovetti farmi cinque miglia a piedi. Cenando, scrissi. Una cena assai cattiva: hamburger. Va benissimo, mamma. Lascia stare, non ti preoccupare troppo per me. Amo gli hamburger. Dopo cena scrissi. Pagina ventitré, pagina ventiquattro. La pila cresceva. Venne mezzanotte e mi addormentai in cucina. Caddi dalla sedia e sbattei la testa contro una gamba della stufa. Bah, vecchia stufa, lascia perdere. La mia mano è a posto, e così pure i miei occhi: tutto il resto non conta. Colpiscimi ancora, se ti va, qui sullo stomaco. Mia madre mi sfilò i vestiti e mi mise a letto.

La sera dopo scrissi di nuovo fino all'alba. Dormii per

quattro ore. Quel giorno portai carta e matita al lavoro. Sull'autobus che andava allo stabilimento una vespa mi punse sulla nuca. Che assurdità! Una vespa che pungeva un genio. Vespa sciocca! Sta' al tuo posto, se non ti dispiace. Dovresti vergognarti. Metti che mi avessi punto sulla mano sinistra: ridicolo. Mi addormentai di nuovo sull'autobus. Quando mi svegliai, l'autobus era al capolinea, dalla parte di San Pedro del porto di Los Angeles, a sei miglia dal conservificio. Per tornare indietro presi il traghetto. Quindi presi un altro autobus. Erano le dieci quando raggiunsi lo stabilimento.

Shorty Naylor era lì che si stuzzicava i denti con un fiammifero.

«Ebbene?»

«Mia madre sta male. L'hanno portata all'ospedale.»

«Brutto affare» fu tutto ciò che disse.

Quella mattina me la filai dal lavoro. Andai al lavatoio. Mi misi a scrivere là. Le mosche erano innumerevoli. Si erano adunate intorno a me, mi camminavano sulle mani e sui fogli. Mosche molto intelligenti. Senza dubbio stavano leggendo quello che andavo scrivendo. Una volta rimasi così perfettamente immobile da permettergli di addentrarsi per bene sul blocco ed esaminare minuziosamente ogni parola. Erano le mosche più amabili che avessi mai conosciuto.

A mezzogiorno mi misi a scrivere al caffè. Era affollato, puzzava di grasso e sapone concentrato. A stento me ne accorsi. Quando si sentì il fischio vidi il vassoio davanti a me. Non era stato toccato.

Nel pomeriggio me la filai nuovamente al lavatoio. Ci scrissi per una mezz'ora. Poi venne Manuel. Nascosi il blocco e la matita.

«Il capo ti vuole.»

Andai dal capo.

«Dove diavolo ti eri cacciato?»

«Mia madre. È peggiorata. Stavo telefonando, ho chiamato l'ospedale.»

Si grattò il viso.

«Brutto affare.»

«È piuttosto serio.»

Fece schioccare la lingua.
«Brutto affare. Ce la farà?»
«Ne dubito. Dicono che è soltanto una questione di momenti.»
«Dio, mi dispiace sentirtelo dire.»
«È stata per me una madre eccellente. Perfetta. Non so cosa farei se se ne andasse. Penso che mi ammazzerei. È l'unico amico che abbia al mondo.»
«Che malattia ha?»
«Trombosi polmonare.»
Fischiò.
«Dio, è terribile.»
«Ma non è tutto.»
«Non è tutto?»
«C'è anche l'arteriosclerosi.»
«Buon Dio onnipotente.»
Sentii che mi venivano le lacrime e tirai su col naso. D'un tratto mi resi conto che ciò che avevo detto su mia madre — che era l'unico amico che avevo al mondo — era vero. E stavo tirando su col naso perché era del tutto plausibile per me, povero ragazzo schiavizzato al conservificio; e mia madre che moriva, e io, un povero ragazzo senza speranza e senza soldi, là a fare lo schiavo disperato mentre mia madre stava spirando, e il suo ultimo pensiero era per me, povero ragazzo, che stavo a fare lo schiavo in un conservificio. Un pensiero da crepacuore. Fiotti di lacrime dai miei occhi.
«È stata magnifica» dissi tra i singhiozzi. «Tutta la sua vita l'ha sacrificata per il mio bene. Mi fa male nel profondo.»
«È dura» disse Shorty. «Penso di sapere quello che provi.»
Abbassai il capo. Mi trascinai via, con le lacrime che mi rigavano il volto. Ero sorpreso per il fatto che una bugia così spudorata fosse riuscita quasi a spezzarmi il cuore. «No. Non puoi capire. *Non puoi!* Nessuno può capire quello che provo.»
Si precipitò alle mie spalle.
«Ascolta» sorrise. «Perché non fai una bella cosa: ti prendi un giorno libero. Va' all'ospedale! Sta' con tua madre! Confortala! Stacci un po' di giorni, una settimana! Qui andrà tutto bene. E io ti darò paga intera. So come ti senti. Al

diavolo, mi pare di averla avuta anch'io una madre, una volta.»

Io strinsi i denti e scossi il capo.

«No, non posso. No. Il mio posto è qui, con gli altri compagni. Non voglio che tu faccia favoritismi. Non lo vorrebbe neanche mia madre. Anche se stesse per esalare l'ultimo respiro, io so che direbbe di no.»

Mi afferrò per le spalle e mi scosse.

«No!» dissi. «Non lo farò.»

«Altolà! Chi è il capo? Adesso fai quello che ti dico. Vai fuori di qui e te ne vai a quell'ospedale, e rimani lì finché tua madre non sta meglio!»

Alla fine mi arresi, e gli porsi la mano.

«Dio, sei splendido! Grazie! Dio, non lo dimenticherò mai.»

Lui mi diede una pacca sulla spalla.

«Lascia perdere. Certe cose le capisco. Mi pare di avercela avuta anch'io, una madre.»

Dal portafogli tirò fuori una fotografia.

«Guarda» sorrise.

Alzai davanti ai miei occhi offuscati quella foto sbiadita. Era un donnone tarchiato infagottato in un abito nuziale che pareva fatto di lenzuola scese direttamente dal cielo, che le ricadevano ai piedi. Alle sue spalle c'era un falso fondale, di alberi e di cespugli, di fiori di melo, e di rose in piena fioritura, uno scenario di tela con certi buchi perfettamente visibili.

«Mia madre» disse. «Quella foto ha cinquant'anni.»

Pensai che era la donna più tremenda che avessi mai visto. Aveva la mascella quadrata come quella di un poliziotto. I fiori che teneva in mano – li brandiva come fossero uno schiacciapatate – erano appassiti. Il velo tutto storto, come se pendesse dall'asta rotta di una tenda. Gli angoli della bocca erano curvati all'insù in una specie di cinico, inusuale sorriso. Aveva un'aria come di disdegnare l'idea di essere stata tutta apparecchiata allo scopo di sposare uno di quei dannati Naylor.

«Bellissima, troppo bella per poterne parlare.»

«Era una meraviglia, proprio così.»

«È vero. C'è in lei qualcosa di delicato, come una collina al crepuscolo, una nuvola in lontananza, qualcosa di dolce, di spirituale; capisci quel che voglio dire, le mie metafore sono inadeguate.»

«Sì. È morta di polmonite.»

«Dio» dissi. «Pensa! Una così bella donna! I limiti della cosiddetta scienza! E magari tutto cominciò con un comunissimo raffreddore, vero?»

«Già. È proprio quello che successe.»

«Noi moderni! Che pazzi siamo! Ci dimentichiamo la bellezza soprannaturale delle vecchie cose, quelle cose preziose come questa fotografia. Dio, è meravigliosa.»

«Già. Dio, Dio.»

Ventuno

Quel pomeriggio andai a scrivere al parco, su una panca da picnic. Il sole scivolava via e l'oscurità avanzava furtiva da levante. Scrivevo nella luce ormai incerta. Quando il vento umido si levò dal mare, smisi e me ne tornai a casa. Mona e mia madre non si accorsero di nulla, pensando che stessi tornando dal conservificio.

Dopo cena ricominciai. Non sarebbe stata una storia breve, dopotutto. Contai trentatremilacinquecentosessanta parole, esclusi gli "e" e gli "a". Un romanzo, un vero romanzo. C'erano duecentoventiquattro paragrafi, e tremilacinquecentoottanta frasi. Una frase conteneva quattrocentotrentotto parole, era la frase più lunga che avessi mai visto. Ero orgoglioso di ciò e sapevo che la cosa avrebbe stupito i critici. In fondo non era da tutti farla franca per una lunghezza simile.

E scrivevo, scrivevo, ogni volta che potevo, un rigo o due al mattino, tutto il giorno al parco per tre giorni, e altre pagine di sera. Giorni e notti scorrevano sotto la matita come piedi di bambini in corsa. Tre blocchi di carta furono riempiti di scrittura, e poi un quarto. Una settimana dopo avevo finito. Cinque blocchi. 69.009 parole.

Era la storia degli amori appassionati di Arthur Banning. Col suo panfilo andava di paese in paese in cerca della donna dei suoi sogni. Aveva relazioni amorose con donne di ogni razza e paese del mondo. Li avevo cercati nel dizionario, tutti quei paesi, e non ne avevo mancato uno. Ce n'erano sessanta, e in ognuno un'appassionata storia d'amore.

Ma Arthur Banning non trovava mai la donna dei suoi sogni.

Esattamente alle 3,27 di venerdì 7 agosto finii la storia. L'ultima parola sull'ultima pagina era esattamente quella che desideravo.

Era: "Morte".

Il mio eroe si sparava un colpo alla tempia.

Teneva la pistola puntata e parlava.

"Ho fallito, non ce l'ho fatta a trovare la donna dei miei sogni" diceva. "Ora sono pronto a morire. Ah, il dolce mistero della Morte."

Non avevo scritto, per la verità, che aveva premuto il grilletto. Era una cosa soltanto suggerita, ciò che provava la mia abilità nell'uso della reticenza sia pure in un climax incandescente.

E così era finito.

Ventidue

Quando arrivai a casa la sera dopo, Mona stava leggendo il manoscritto. I blocchi stavano uno sull'altro sul tavolo, e lei stava leggendo l'ultima parola della pagina finale, con quel suo climax terrificante. Sembrava tutt'occhi, intensamente interessata. Buttai da una parte la giacca e mi fregai le mani.

«Ha!» dissi. «Ti vedo assorta. Ti acchiappa, vero?»

Lei alzò lo sguardo, aveva una faccia stremata.

«È stupido» disse. «Proprio stupido. Non mi acchiappa. Mi accoppa.»

«Oh» dissi. «È così!»

Attraversai la stanza.

«E chissà chi diavolo ti credi di essere.»

«È stupido. Mi veniva da ridere. La maggior parte l'ho saltato. Non ne avrò letto nemmeno tre blocchi.»

Le agitai il pugno davanti al naso.

«E che cosa ne diresti se ti riducessi la faccia a una poltiglia sanguinolenta e bavosa?»

«È saccente. Con tutti quei paroloni!»

Le strappai i blocchi di mano.

«Sei una cattolica illetterata! Una sporca pinzochera! Una zitella disgustosa, nauseante, villana!»

La mia saliva le sprizzò sul viso e sui capelli. Si passò il fazzoletto sul collo e mi spinse via. Sorrise.

«Come mai il tuo eroe non si è ammazzato alla prima pagina invece che all'ultima? Sarebbe venuta una storia di gran lunga migliore.»

La presi per la gola.
«Sta' molto attenta a quello che dici, baldracca romana. Ti avverto: sta' molto, molto attenta.»
Riuscì a divincolarsi, graffiandomi il braccio.
«È il peggior libro che abbia mai letto.»
La afferrai di nuovo. Saltò su dalla sedia e ingaggiò una lotta furibonda, graffiandomi il viso con le unghie. Io arretravo, gridando a ogni passo.
«Bigotta di una monaca vomitevole di una monaca puttana impestata nauseabonda monaca di una stolida vile babbuina di truffaldina ascendenza cattolica!»
Sul tavolo c'era un vaso. Lei lo scorse, si avvicinò al tavolo e lo agguantò. Ci giocava con le mani, accarezzandolo, sorridendo, ponderandolo, sorridendo di nuovo verso di me con fare minaccioso. Se lo sistemò quindi su una spalla, pronta a tirarmelo in testa.
«Ha!» dissi. «Va bene! Lancialo!»
Mi strappai di dosso la camicia, bottoni che volavano dappertutto, e mostrai il mio petto nudo. Con un balzo le fui davanti in ginocchio, a petto in fuori. Mi percossi il petto, lo martellai di pugni finché non divenne rosso e infiammato.
«Colpisci!» gridai. «Buttamelo! Rinnova i fasti dell'Inquisizione. Uccidimi! Commetti un fratricidio. Fa' che questo pavimento si tinga di rosso grazie al ricco, puro sangue di un genio che non ha avuto paura!»
«Scemo. Tu non sai scrivere. Tu non sai scrivere per niente.»
«Zoccola! Zoccola zoccolesca monachesca uscita dal ventre della Baldracca Romana.»
Sorrise amaro.
«Chiamami come preferisci. Ma tieni le mani lontano da me.»
«Metti giù quel vaso.»
Lei ci pensò un momento, fece spallucce, e lo posò. Io mi tirai su. Ci ignoravamo. Era come se non fosse successo nulla. Lei si aggirava sul tappeto in cerca dei bottoni della mia camicia. Per un po' mi sedetti, senza far altro che star seduto a pensare a ciò che aveva detto del libro. Lei entrò in camera da letto. La sentii passarsi il pettine fra i capelli.

«Che aveva quella storia?» domandai.
«È stupida. Non mi è piaciuta.»
«Perché no?»
«Perché era stupida.»
«Dannazione! Fa' una critica! Non dire che era stupida! Fa' una critica! Che cos'ha che non va? Perché è stupida?»
Lei venne sulla porta.
«Perché è stupida. È tutto quello che posso dire.»
La spinsi contro il muro. Ero furente. Le bloccai le braccia e la tenni ben ferma con le gambe, e le piantai lo sguardo in faccia. Era muta dalla rabbia. I denti le battevano, il viso le si sbiancò e divenne tutto una macchia. Ora che la tenevo, però, avevo paura di lasciarla andare. Non avevo scordato il coltello da macellaio.
«È il libro più folle che abbia mai letto!» urlò. «Il più tremendo, il più vile, il più folle e più buffo libro del mondo! Era talmente schifoso che manco ce la facevo a leggere.»
Decisi di rimanere indifferente. La lasciai e le schioccai le dita sotto il naso.
«Puah! Questa è per te. La tua opinione non mi tange punto.»
Mi spostai al centro della stanza. Da lì mi rivolsi ai muri.
«Non ci toccano. No, non possono! Abbiamo messo in rotta la Chiesa. Dante, Copernico, Galileo, e adesso io, Arturo Bandini, il figlio di un umile falegname. Andremo avanti. Noi siamo superiori a loro. Trascendiamo persino il loro ridicolo paradiso.»
Lei si strofinò le braccia indolenzite.
Le andai incontro e levai le braccia al soffitto.
«Possono impiccarci, e bruciarci, ma noi andremo avanti fino alla fine dei giorni: noi, gli iniziati, i perseguitati, gli eterni.»
Prima che potessi abbassarmi lei prese il vaso e lo scagliò. La sua mira, da una distanza tanto ravvicinata, fu perfetta. Il vaso mi colpì proprio nel momento in cui giravo la testa. Mi prese dietro l'orecchio e andò in pezzi. Per un momento pensai che mi si fosse fratturato il cranio. Ma si trattava di un vaso piccolo e sottile. Invano mi tastai in cerca del sangue. Era andato in frantumi senza nemmeno farmi un graf-

fio. Per tutta la stanza un tintinnio di frammenti. E neanche l'ombra del sangue, a stento un capello fuori posto. Miracolo! Calmo e illeso mi guardai intorno. Con un dito alzato, come uno degli apostoli, parlai.

«Perfino Dio Onnipotente sta dalla nostra parte. In verità vi dico: che anche quando romperanno vasi sulle nostre teste, essi non ci faranno male, né le nostre teste verranno spaccate.»

Era contenta che fossi illeso. Ridendo, andò in camera da letto. Si sdraiò sul letto e la sentii ridere e ridere. Mi fermai sulla porta e la vidi brancicare un cuscino con grande diletto.

«Ridi» dissi. «Continua. In verità ti dico: riderà bene colui che riderà ultimo, e voi dovrete dire sì e ancora sì, così parlò Zarathustra.»

Ventitré

Mia madre tornò a casa con le braccia cariche di pacchi. Saltai giù dal divano e la seguii in cucina. Lei posò i pacchi e mi affrontò. Le mancava il fiato, era rossa in viso, le scale erano sempre troppe per lei.

«Hai letto la storia?»

«Sì» annaspò. «Certo che sì.»

Le misi le mani sulle spalle, stringendo la presa.

«Era una bella storia, non è vero? Rispondi subito!»

Lei si prese le mani, barcollò, e chiuse gli occhi.

«Certo che lo era!»

Non le credevo.

«Non mentirmi, per favore. Sai perfettamente che odio qualunque forma di simulazione. Non sono un ipocrita, voglio sempre la verità.»

Mona allora si alzò, venne verso di noi e si fermò sulla porta. Stava appoggiata con le mani dietro di sé e sorrideva con un sorriso da Mona Lisa.

«Dillo a Mona» dissi.

Mia madre si voltò verso Mona.

«L'ho letto. Non è vero, Mona?»

L'espressione di Mona non era cambiata.

«Lo vedi?» fece mia madre, trionfante. «Mona *sa* che l'ho letto, vero Mona?»

Si voltò nuovamente verso Mona.

«Ho detto che mi piaceva, vero Mona?»

La faccia di Mona era esattamente la stessa.

«Lo vedi? Mona sa che mi è piaciuto, vero Mona?»
Presi a percuotermi il petto.
«Dio buono!» gridai. «Parla con me! Me! Me! Me! Non con Mona! Con me! Me! Me!»
Le mani di mia madre, disperata, si levarono. Era in preda a una sorta di tensione. Non era del tutto sicura di se stessa.
«Ma ti ho appena detto che mi è parso magnifico!»
«Non mentire. Non ammetto sofismi.»
Sospirò e, risoluta, lo ripeté.
«È magnifico. Per la terza volta ti dico che è magnifico. Magnifico.»
«Finiscila di mentire.»
Il suo sguardo era inquieto, agitato. Avrebbe voluto urlare, piangere. Si compresse le tempie e cercò di pensare a qualche altro modo per dirlo.
«Allora cosa vuoi che ti dica?»
«La verità, se non ti dispiace. Soltanto la verità.»
«Bene, allora. La verità è che è magnifico.»
«Finiscila di mentire. Il meno che posso aspettarmi dalla donna che mi ha dato la vita è una qualche parvenza di verità.»
Lei mi strinse la mano e avvicinò il suo viso al mio.
«Arturo» implorò «ti giuro che mi piace. Lo giuro.»
Voleva farlo.
Infine era qualcosa. Ecco una donna che mi aveva capito. Qui, davanti a me, questa donna, mia madre. Lei mi aveva capito. Sangue del mio sangue, carne della mia carne, lei sapeva apprezzare la mia prosa. Poteva dichiararla magnifica al cospetto del mondo. Ecco una donna per i secoli dei secoli, una donna che alla sua maniera domestica era un'esteta, un critico istintivo. Qualcosa dentro di me s'inteneriva.
«Mammina» sussurrai «cara mammina. Cara mamma, dolce tesoro. Ti voglio tanto bene. La vita è così dura per te, mia cara mamma, tesoro.»
La baciai, assaggiando la superficie salata del suo collo. Sembrava così stanca, così affaticata. C'era una giustizia in questo mondo? Perché questa donna doveva soffrire senza alcuna pietà? C'era un Dio nel cielo capace di giudicare, di considerarla degna di sé? Doveva esserci! Deve esserci!

«Cara mammina. Il mio libro lo dedicherò a te. A te, mamma. A mia madre, con gratitudine. A mia madre, senza la quale questa grande opera sarebbe stata impossibile. A mia madre, con gratitudine da un figlio che non dimentica.»

Con un gridolino Mona si voltò e tornò in camera da letto.

«Ridi!» gridai. «Ridi, somara!»

«Cara mammina» dissi. «Cara mammina.»

«Ridi!» dissi. «Grandissima imbecille! Ridi!»

«Cara mammina. Per te: mia madre: un bacio!»

E la baciai.

«Il protagonista mi ha ricordato te» sorrise.

«Cara mammina.»

Tossì, esitò. C'era qualcosa che la imbarazzava. Stava cercando di dire qualcosa.

«Un'unica cosa: il tuo eroe deve per forza fare l'amore con quella donna negra? Quella donna in Sudafrica?»

Risi e l'abbracciai. Questa era davvero bella. La baciai e le feci ganascino. Ho ho: era come un bimbo, come un bimbo piccolo piccolo.

«Cara mammina. Vedo che la mia scrittura ti ha fatto un grande effetto. Ti ha toccato fino all'intimo della tua anima pura, mia cara mammina. Ho ho.»

«Non mi è piaciuta neanche quella storia con la ragazza cinese.»

«Cara mammina. Mia piccola mammina.»

«E non mi è piaciuta quella storia con quella eschimese. Mi è sembrata tremenda. Mi ha dato la nausea.»

Le feci cenno col dito.

«Su, su. Niente puritanesimo. Niente pruderie. Cerchiamo di essere logici e filosofici.»

Lei si morse un labbro e si fece cupa. C'era qualcos'altro che le frullava in testa.

Pensò un momento, poi mi guardò semplicemente negli occhi. Capii il problema: aveva paura di parlarne, qualunque cosa fosse.

«Beh» dissi. «Parla. Vuota il sacco. Che altro?»

«Il punto in cui va a letto con le ragazze del coro. Non mi è piaciuto nemmeno quello. Venti ragazze! Mi è sembrato terribile. Non mi è piaciuto per niente.»

«Perché no?»

«Non credo che dovesse andare a letto con così tante donne.»

«Ah no, eh? E perché no?»

«Non credo e basta.»

«Perché no? Non meniamo il can per l'aia. Di' la tua opinione, se ne hai una. Altrimenti, sta' zitta. Voialtre donne!»

«Doveva trovarsi una bella ragazzina cattolica perbene, sistemarsi e sposarla.»

Allora era questo! Finalmente ecco la verità. La afferrai per le spalle e la feci ruotare fino a quando la mia faccia fu vicina alla sua, e i miei occhi all'altezza dei suoi.

«Guardami!» dissi. «Tu proclami di essere mia madre. Bene, guardami! Ti sembro una persona che venderebbe l'anima per il vil metallo? Credi che me ne importi un fico della pubblica opinione? Rispondi!»

Arretrava.

Mi percossi il petto.

«Rispondimi! Non stare lì come una donna, come un'idiota, come un censore cattolico borghese e ipocrita. Esigo una risposta!»

Assunse un'aria di sfida.

«L'eroe era abietto. Commetteva adulterio quasi a ogni pagina. Donne, donne, donne! Era impuro dal principio. Da rivoltare lo stomaco.»

«Ha!» dissi. «Eccoci al dunque! Finalmente emerge la tremenda verità! Ritorna il papismo! Ritorna la mentalità cattolica! Il Papa di Roma agita il suo osceno vessillo.»

Entrai in soggiorno e tirai la porta.

«Eccoli tutti qui. L'enigma dell'universo. Il rovesciamento di valori già rovesciati. La Chiesa Romana. Le tenebre dell'ignoranza. Il papismo. La Baldracca Romana in tutto il suo immane orrore. Il Vaticinismo. In verità, in verità vi dico che a meno che non diventiate iniziati sarete dannati! Così parlò Zarathustra!»

Ventiquattro

Dopo cena portai il manoscritto in cucina. Sparpagliai i blocchi sul tavolo e accesi una sigaretta.

«Ora vedremo se è stupido.»

Come incominciai a leggere sentii Mona che cantava.

«Silenzio!»

Mi misi comodo e lessi le prime dieci righe. Quando ebbi finito con quelle, feci cadere il libro come fosse un serpente morto e mi alzai dal tavolo. Gironzolai per la cucina. Impossibile! Non poteva essere vero!

«Qui c'è qualcosa che non va. Fa troppo caldo. Non fa per me. Ho bisogno di spazio, di aria fresca!»

Aprii la finestra e guardai fuori per un momento. Dietro di me c'era il libro. Bene, torna indietro e leggi, Bandini. Non stare alla finestra. Il libro non è lì, sta là dietro, alle tue spalle, sul tavolo. Torna indietro e leggi.

Serrando forte la bocca, mi sedetti e lessi altre cinque righe. Il sangue mi salì in faccia. Il cuore andava via come una ruota.

«È strano, davvero molto strano.»

Dal soggiorno proveniva la voce di Mona. Stava cantando. Un inno religioso. Signore, un inno religioso in un momento del genere. Aprii la porta e cacciai fuori la testa.

«Finiscila di cantare o ti mostrerò io qualcosa di veramente stupido.»

«Canto quanto mi pare.»

«Niente inni religiosi. Te lo proibisco.»

«E canterò pure inni religiosi.»
«Canta un solo inno religioso e morirai. Fa' tu.»
«Chi è morto?» disse mia madre.
«Nessuno» dissi. «Nessuno, per ora.»
Tornai al libro. Altre dieci righe. Balzai in piedi e mi mangiai un'unghia. Mi tirai via la cuticola dal pollice. Un lampo di dolore. Chiudendo gli occhi, afferrai la cuticola fra i denti e la strappai via. Una piccola macchia di sangue rosso comparve al di sotto dell'unghia.
«Sanguinare! Sanguinare fino alla morte!»
I vestiti mi si appiccicavano addosso. Odiavo quella cucina. Alla finestra osservai la corrente di traffico giù per Avalon Boulevard. Non avevo mai sentito un tale rumore. Non avevo mai provato tanto dolore quanto ne stavo provando al pollice. Dolore e rumore. Tutte le trombe del mondo si erano radunate in quella strada. Il clamore stava facendomi impazzire. Non potevo abitare in un posto come questo e pretendere di scrivere. Dabbasso si sentiva lo zzzzzzzz di un rubinetto da bagno. Chi stava facendo il bagno a quell'ora? Chi diavolo era? Forse le tubature erano fuori uso. Attraversando l'appartamento corsi in bagno e feci scorrere l'acqua. Era tutto a posto, ma era rumoroso, talmente rumoroso che avrei voluto non essermene mai accorto.
«Che succede?» disse mia madre.
«Da queste parti c'è troppo rumore. Non posso creare in un casino simile. Vuoi che te lo dica? Mi sto stufando di questo manicomio.»
«Mi pare che stasera sia molto tranquillo.»
«Non contraddirmi, donna.»
Ritornai in cucina. Era un posto impossibile per scrivere. Non c'è da stupirsi. Non c'è da stupirsi di cosa? Beh, non c'è da stupirsi che sia un posto impossibile per scriverci. Non c'è da stupirsi? Di che stai parlando? Non c'è da stupirsi *di cosa?* Quella cucina era un guaio. Quel quartiere era un guaio. Quella città era un guaio. Mi succhiai la ferita del pollice dolorante. Il dolore mi stava riducendo a mal partito. Udii mia madre che parlava con Mona.
«Ma che cos'ha stasera?»
«È un cretino» disse Mona.

Mi precipitai nella stanza.
«Ti ho sentito!» urlai. «E ti avverto: smettila! Ti faccio vedere io chi è stupido da queste parti.»
«Non ho detto che *tu* eri stupido» disse Mona. «Ho detto che la tua storia era stupida. Non te.» Sorrise. «Ho detto che *tu* eri cretino. È del libro che ho detto che era stupido.»
«Sta' attenta! Dio mi è testimone: ti avverto.»
«Ma che avete voialtri due?» disse mia madre.
«Lei lo sa» dissi. «Chiediglielo.»
Preparandomi a quell'ordalia, strinsi i denti e ritornai al libro. Tenevo le pagine davanti a me, con gli occhi chiusi. Avevo paura di leggere quelle righe. Nessuna scrittura poteva essere vergata in un ricetto simile. Nessuna arte poteva uscire da questo caos di stupidità. La bella prosa richiedeva quiete, dintorni tranquilli. Forse anche una musica delicata. Non c'è da stupirsi! Non c'è da stupirsi!
Aprii gli occhi e cercai di leggere. No. Non funzionava. Non riuscivo a leggere. Provai a farlo ad alta voce. No. Quel libro non era bello. Era, come dire?, verboso; c'erano troppe parole. Era qualcosa di noioso. Era un libro molto bello. Si perdeva. Era proprio brutto. Era anche peggio. Era un libro ignobile. Era un libro disgustoso. Era il libro più fottutamente brutto che avessi mai visto. Era ridicolo; era buffo; era stupido; oh, se è stupido, stupido, stupido, stupido, stupido. Vergognati, stupidissimo coso, di aver scritto una cosa così stupida. Mona ha ragione. È stupido.
È per via delle donne. Sono loro che mi hanno avvelenato la mente. Eccola, la sento arrivare: una follia completa. Gli scritti d'un maniaco. Pazzia. Ha! Guardate! È un pazzo! Guardatelo! È uno scimmione! Un matto completo, furioso. È diventato così per via di troppe donne segrete, signore. Ne sono tremendamente spiacente. Un caso patetico, signore. Un tempo era un bravo ragazzo cattolico. Frequentava la chiesa e tutte quelle cose là. Era molto devoto, signore. Un ragazzo modello. Educato dalle suore, insomma uno proprio buono, un tempo. E adesso è un caso patetico, signore. Assai toccante. D'un tratto è cambiato. Già. Gli è successo qualcosa. È partito col piede sbagliato dopo che è morto il suo vecchio, e guardi cos'è successo.

Gli sono venute certe idee. Aveva tutte quelle donne fasulle. Il ragazzo era sempre stato un po' svitato, ma con quelle donne fasulle ha proprio sballato. Lo vedevo sempre, il ragazzo, da queste parti, andava in giro da solo. Abitava con sua madre e la sorella in quella casa intonacata davanti alla scuola. Veniva spesso al Jim's Place. Glielo domandi a Jim. Jim lo conosceva bene. Lavorava al conservificio. Qua intorno aveva fatto un sacco di lavori. Tuttavia non durava mai a lungo, era troppo strambo. Un matto, uno svitato. Giù di testa, le dico, giù di testa. Eh già: troppe donne, e della specie sbagliata. Avrebbe dovuto sentire che discorsi. Da lunatico. Il più fottuto bugiardo della contea di Los Angeles. Aveva le allucinazioni. Sogni di gloria delusi. Minacce contro la società. Seguiva le donne per la strada. Faceva il pazzo con le mosche e se le mangiava. Tutto per via delle donne. Uccise pure un sacco di granchi. Rimase a ucciderli per un pomeriggio intero. Proprio uno svitato. Il ragazzo più svitato della contea di Los Angeles. Sono contento che lo abbiano rinchiuso. Cosa dice? Che l'hanno trovato mentre vagava fra i docks come in stato di trance? Beh, è proprio lui. Probabilmente stava cercando altri granchi da uccidere. Pericoloso, le dico. Sta bene dietro le sbarre. Bisogna sottoporlo a esami molto accurati. Tenetelo qui per il resto della sua vita. Ci si sente più al sicuro con quel lunatico in manicomio: quella è casa sua. Un ben triste caso, tuttavia. Sono tremendamente spiacente per la madre e la sorella. Pregano per lui ogni sera. Se lo immagina? Già. Magari sono matte anche loro!

Mi accasciai sul tavolo e presi a piangere. Volevo tornare a pregare. Più di ogni altra cosa al mondo, ciò che volevo fare era dire preghiere.

Ha! Il matto vuole pregare!

Un matto orante! Può essere per via del suo retroterra religioso. Forse era troppo pio da bambino. È buffo. Assai buffo. Mi morsicai le nocche. Graffiai il tavolo. I miei denti individuarono la cuticola bianca sul pollice. La rosicchiai. I blocchi stavano tutt'intorno a me sul tavolo. Che scrittore! Un libro sui conservifici della California! Un libro sul vomito della California!

Risate.

Nella stanza a fianco le sentivo, mia madre e Mona. Stavano parlando di soldi. Mia madre si lamentava amaramente. Stava dicendo che non ce l'avremmo mai fatta col mio salario del conservificio. Stava dicendo che saremmo andati a stare tutti a casa dello zio Frank. Lui si sarebbe preso cura di noi. Sapevo da dove veniva quel genere di discorsi: dalle parole di zio Frank. Aveva parlato di nuovo con mia madre. Lo sapevo. E sapevo che lei non stava ripetendo proprio tutto quello che le aveva detto: che io non valevo niente e non si poteva fare affidamento su di me, e che si sarebbe sempre dovuta aspettare le cose peggiori da me. E mia madre stava facendo quel discorso, con Mona che non le rispondeva. Perché Mona non rispondeva? Perché Mona doveva essere così insensibile? Così incallita?

Saltai su ed entrai.

«Rispondi a tua madre quando ti si rivolge!» Nell'attimo in cui mi vide, Mona rimase terrorizzata. Era la prima volta che vedevo quello sguardo di paura nei suoi occhi. Passai all'azione. Era ciò che avevo sempre desiderato. Mi diressi verso di lei.

Disse: «Attento a te!».

Tratteneva il respiro, rannicchiata sulla sedia.

«Arturo!» disse mia madre.

Mona entrò in camera da letto e sbatté la porta. Con tutto il proprio peso cercò di tenerla chiusa. Gridò a mia madre di farmi stare lontano. Con un salto riuscii a spalancare la porta. Mona rinculò sul letto, ci cadde sopra di schiena. Stava ansimando.

«Attento a te!»

«Monaca!»

«Arturo!» diceva mia madre.

«Monaca! Dunque era stupido, eh? Dunque ti ha fatto ridere, eh? Dunque era il peggior libro che avessi mai letto, eh?»

Alzai il pugno e lo lasciai andare. La colpì sulla bocca. Lei si portò una mano alle labbra e ricadde sul cuscino. Mia madre arrivò urlando. Il sangue scorreva tra le dita di Mona.

«Dunque ci ridevi sopra, eh? Ghignavi! Davanti all'opera di un genio. Tu! Al cospetto di Arturo Bandini! E ora Bandini colpisce ancora. Colpisce nel nome della libertà!»

Mia madre le fece scudo con le braccia e col corpo. Io cercai di tirar via mia madre. Lei prese a graffiarmi come un gatto.

«Va' via!» disse.

Afferrai la giacca e me ne andai. Alle mie spalle, mia madre stava blaterando. Mona gemeva. Avevo come la sensazione che non le avrei mai più viste. E ne ero felice.

Venticinque

Una volta in strada non sapevo dove andare. La città aveva due direzioni principali: est e ovest. A est c'era Los Angeles, a ovest, dopo mezzo miglio, c'era il mare. Mi avviai nella direzione del mare. C'era un freddo pungente in quella sera d'estate. La nebbia aveva incominciato a radunarsi. Un venticello la sospingeva qua e là, in grandi volute d'un bianco cangiante. Sul canale udii le sirene antinebbia che muggivano come un carro di giovenche. Accesi una sigaretta. Avevo del sangue sulle nocche, quello di Mona. Me lo pulii su una gamba dei pantaloni. Non veniva via. Sollevai il pugno e lasciai che la nebbia lo inumidisse con un freddo bacio. Quindi provai a pulirlo di nuovo. Ma non veniva via. Allora sfregai le nocche nella sporcizia sul ciglio del marciapiede finché il sangue scomparve, ma nel farlo mi ero lacerato la pelle delle nocche, e ora il mio sangue stava sgorgando.

«Bene. Sanguina, sanguina!»

Attraversai il cortile della scuola e mi avviai lungo Avalon, speditamente. Dove stai andando, Arturo? La sigaretta era schifosa, era come avere la bocca piena di capelli. La sputai davanti a me, quindi la schiacciai meticolosamente con il tacco. La guardavo in tralice. Ero stupito. Bruciava ancora, un fumo debole si attorcigliava nella nebbia. Proseguii per un isolato, pensando alla sigaretta. Era ancora viva. Mi aveva colpito il fatto che bruciasse ancora. Perché doveva bruciare ancora? Perché non si era spenta? Un presagio maligno, forse. Perché dovevo negare a quella sigaretta l'ingresso nel mondo degli spiriti delle sigarette? Perché lasciarla bruciare e soffrire così miseramente? Ero arrivato a questo? Ero un così terribile mostro da negare a quella sigaretta una giusta dipartita?

Tornai sui miei passi.

Era là.

La calcai su un basolo scuro.

«Addio, cara sigaretta. C'incontreremo ancora in paradiso.»

Quindi proseguii. La nebbia mi leccava con le sue numerose lingue fredde. Mi abbottonai la giacca di pelle, tranne l'ultimo bottone.

Perché non abbottonare anche l'ultimo?

La cosa mi dava fastidio. Dovevo abbottonarlo, o dovevo lasciarlo sbottonato, quello zimbello del mondo bottonico, quell'inutile bottone?

Lo lascerò sbottonato.

No, ora lo abbottono.

Sì, lo sbottono.

Non feci né l'una né l'altra cosa. Feci invece appello a una decisione salomonica. Strappai il bottone dal colletto e lo gettai per strada.

«Spiacente, bottone. Siamo stati amici per lungo tempo. Ti ho spesso toccato con le mie dita, e tu mi hai tenuto al caldo nelle sere più fredde. Perdonami per ciò che ho fatto. Anche noi c'incontreremo in paradiso.»

Alla banca mi fermai a guardare i freghi dei fiammiferi sul muro. Il Limbo dei freghi di fiammifero, la zona in cui espiavano la loro mancanza di anima. Un solo frego di fiammifero, uno solo, aveva un'anima, ed era il frego lasciato dalla donna dal soprabito viola. Dovevo fermarmi per fargli visita? O potevo andarmene?

Mi fermo.

No, vado via.

Sì mi fermo.

No.

Sì e no.

Sì e no.

Mi fermai.

Trovai il frego che aveva lasciato lei, la donna dal soprabito viola. Com'era bello! Che arte in quel frego! Che espressività! Accesi un fiammifero, lasciando un lungo frego pesante. Quindi cacciai il bastoncino di zolfo acceso dentro il frego che aveva fatto lei. Rimase appeso al muro.

«Ti sto seducendo. Ti amo, e pubblicamente ti dono il mio amore. Come sei fortunata!»

Era lì, al di sopra di quell'artistico frego. Poi cadde, lo zolfo che bruciava si fece freddo. Proseguii, a lunghi passi marziali, come un conquistatore che avesse mandato in estasi l'anima rara di un frego di fiammifero.

Ma perché il fiammifero s'era raffreddato ed era caduto? La cosa mi angustiava. Fui colto dal panico. Perché era successo? Che cosa avevo fatto per meritare questo? Ero Bandini, lo scrittore. Perché il fiammifero mi aveva tradito?

Corsi indietro, arrabbiato. Trovai il fiammifero là dove era caduto sul marciapiede, giaceva freddo e morto al cospetto del mondo. Lo tirai su.

«Perché sei caduto? Perché mi abbandoni nell'ora del mio trionfo? Sono Arturo Bandini, il possente scrittore. Che cosa mi hai fatto?»

Nessuna risposta.

«Parla! Esigo una spiegazione.»

Nessuna risposta.

«Molto bene. Non ho altra scelta. Ti devo distruggere.»

Lo spezzai in due e lo gettai nel tombino. Atterrò vicino a un altro fiammifero, uno intatto, un fiammifero molto bello con una striscia di zolfo azzurro attorno al collo, un fiammifero assai mondano e sofisticato. E là c'era il mio, umiliato, con la spina dorsale fratturata.

«Mi metti in imbarazzo. Ora soffrirai per davvero. Ti abbandono allo scherno del regno dei fiammiferi. Ora tutti i fiammiferi ti vedranno e ti faranno versacci beffardi. Arrangiati. Parola di Bandini. Bandini, il possente maestro della penna.»

Ma mezzo isolato più avanti mi sembrò terribilmente scorretto. Quel povero fiammifero! Quel poveraccio patetico! Era tutto così sproporzionato. Aveva fatto del suo meglio. Sapevo quanto stesse male. Tornai indietro e lo presi.

Me lo misi in bocca e lo masticai fino a farlo diventare una poltiglia.

Ora tutti gli altri fiammiferi l'avrebbero trovato irriconoscibile. Me lo sputai sulla mano. Eccolo là, spezzato e masticato, già in stato di decomposizione. Bello! Magnifico! Una miracolosa consunzione, Bandini, mi congratulo! Questa volta ti sei esibito in un miracolo. Hai dato un'accelerazione alle leggi eterne e affrettato il ritorno alle origini. Buon per te, Bandini! Un magnifico lavoro. Potente. Un vero dio, un superuomo possente; un maestro di vita e di letteratura.

Oltrepassai la sala da biliardo Acme, avvicinandomi al negozio di roba usata. Stasera il negozio era aperto. La vetrina era la stessa della sera di tre settimane fa, quando lei vi si era affacciata, la donna dal soprabito viola. E la scritta era lì: Compro oro vecchio ai prezzi più alti.

Tutto questo: come quella sera di tanto tempo fa, quando avevo sconfitto Gooch sugli ottocento metri e avevo vinto in quel modo glorioso per l'America. E dov'era adesso Gooch, Sylvester Gooch, l'olandese possente? Buon vecchio Gooch! Non si sarebbe dimenticato presto di Bandini. Era un grande corridore, quasi uguale a Bandini. Che racconti avrebbe avuto per i suoi nipotini! Quando ci incontreremo ancora in un altro mondo parleremo dei vecchi tempi, Gooch e io. Ma adesso dov'era, quella saetta olandese? Senza dubbio era ritornato in Olanda, ad armeggiare coi suoi mulini e tulipani e zoccoli di legno, quell'omone, quasi uguale a Bandini, che aspettava la morte tra le sue dolci memorie, aspettava Bandini.

Ma dov'era lei, la mia donna di quella limpida sera? Ah, nebbia, conducimi a lei. Ho molto da dimenticare. Rendimi simile a te, acqua che gorgoglia, bruma dell'anima, e portami fra le braccia della donna dal pallido viso. Compro oro vecchio ai prezzi più alti. Quelle parole erano svanite nel profondo dei suoi occhi, nel profondo dei suoi nervi, nel profondo della sua mente, lontano, là dove nereggiava la sua mente dietro quel pallido viso. Avevano tracciato una cicatrice laggiù, un frego di fiammifero della memoria, una vampata che si sarebbe portata fino alla tomba, un'impressione. Magnifico, magnifico, Bandini, quanto vedono in profondità i tuoi occhi! Com'è misteriosa la tua vicinanza alla divinità. Quelle parole, quelle belle parole, la bellezza della lingua, giù nel profondo della sua mente.

E adesso ti vedo, donna della notte, ti vedo nella santità di qualche sporca stanzetta in una pensione di infimo rango al porto, e fuori c'è foschia, riposi a gambe scomposte e hai freddo a causa dei baci letali della nebbia, e i tuoi capelli sanno di sangue, sono dolci come il sangue, le tue calze smagliate e strappate sono appese a una sedia traballante dietro la fredda luce gialla di un'unica lampadina polverosa, ristagna l'odore della polvere e della pelle bagnata, le tue logore scarpe azzurre tristemente buttate a piè del letto, il tuo viso segnato dalla povertà sfibrante d'una deflorazione da quattro soldi, da una miseria che esaurisce, e quelle tue luride labbra, labbra tuttavia di un tenero azzurro, di una bellezza che mi richiama e che mi dice vieni vieni vieni a questa stanzetta miserabile a pascerti dell'estasi decadente delle mie forme, e potrei darti una contorta bellezza in cambio della povertà e della sciatteria, la mia bellezza per la tua, la luce che diventa nera mentre gridiamo il nostro povero amore e diciamo addio al tremolio incerto di un'alba grigia che si rifiuta di avere un vero inizio e che non avrà mai una vera fine.

Compro oro vecchio ai prezzi più alti.

Un'idea! La soluzione di tutti i miei problemi. La salvezza per Arturo Bandini.

Entrai.

«Per quanto ancora restate aperti?»

L'ebreo non alzò lo sguardo dai suoi conti dietro la rete.

«Un'altra ora.»

«Ci rivediamo.»

Quando arrivai a casa se n'erano andate. C'era un biglietto non firmato sul tavolo. L'aveva scritto mia madre.

«Siamo andate dallo zio Frank per la notte. Raggiungici.»

Il copriletto era stato tolto, e così pure una federa. Ne avevano fatto un fagotto che stava là per terra, macchiato di sangue. Sulla toeletta c'erano bende e una bottiglina azzurra di disinfettante. Sulla sedia c'era un vasetto d'acqua tinta di rosso. E accanto c'era l'anello di mia madre. Me lo cacciai in tasca.

Da sotto il letto tirai fuori il baule. Conteneva molte cose, ricordi della nostra infanzia che mia madre aveva accuratamente conservato. Uno per uno, li tirai fuori tutti. Un addio sentimentale, uno sguardo alle cose passate prima della fuga di Bandini. La ciocca di capelli biondi nel minuscolo libro di preghiere bianco; erano i miei capelli da bambino; il libretto delle preghiere era un regalo della mia prima comunione.

Ritagli del giornale di San Pedro di quando avevo preso la licenza media; altri ritagli di quando avevo fatto la maturità. Ritagli su Mona. Una foto di Mona sul giornale con il vestito della prima comunione. La foto di noi due insieme il giorno della cresima. Una nostra foto alla domenica di Pasqua. Una nostra foto di quando entrambi cantavamo nel coro. Una nostra foto insieme alla festa dell'Immacolata Concezione. Un elenco di parole di una gara di ortografia di quand'ero alle medie; il massimo dei voti.

Ritagli sulle recite scolastiche. Tutte le mie pagelle fin dal principio. Tutte quelle di Mona. Non ero una cima, ma ero sempre promosso. Eccone una: Aritmetica 70; Storia 80; Geografia 70; Ortografia 80; Religione 99; Inglese 97. Mai un problema con la religione e l'inglese per Arturo Bandini. Ed eccone una di Mona: Aritmetica 96; Storia 95; Geografia 97; Ortografia 94; Religione 90; Inglese 90.

Poteva battermi in altre cose, ma mai in inglese o religione. Assai divertente, questo. Un bell'aneddoto per i biografi di Arturo Bandini. Il più grande nemico di Dio che in religione otteneva voti più alti di quelli della più grande amica di Dio, e tutti e due facevano parte della medesima famiglia. Ironia della sorte. Che biografia sarebbe stata! Ah, Signore, essere ancora vivo e poterla leggere!

In fondo al baule trovai quello che cercavo. Gioielli di famiglia avvolti in uno scialle paisley. Due anelli d'oro massiccio, un orologio d'oro massiccio con catena, una coppia di gemelli d'oro, una coppia di orecchini d'oro, una broche d'oro, qualche spilla d'oro, un cammeo d'oro, una catenina d'oro, varie cianfrusaglie d'oro, gioielli comprati da mio padre quand'era vivo.

«Quant'è?» dissi.

L'ebreo fece una faccia arcigna.

«È tutta chincaglieria. Non si vende.»

«Quant'è comunque? C'è quel cartello: Compro oro vecchio ai prezzi più alti... »

«Saranno un cento dollari, ma che me ne faccio? C'è poco oro. È roba placcata.»

«Mi dia duecento dollari e glieli do tutti.»

Fece un sorrisetto, i suoi occhi neri si rimpicciolirono dentro quelle palpebre da batrace.

«Ma nemmeno per sogno.»

«Facciamo centosettantacinque.»

Spinse i gioielli verso di me.

«Portali via. Non un solo centesimo più di cinquanta dollari.»

«Facciamo centosettantacinque.»

Ci accordammo a centodieci. A una a una mi porse tutte le banconote. Era la più grande somma di denaro che avessi mai avuto in vita mia. Pensavo di svenire alla sua vista. Ma non glielo feci capire.

«È pura pirateria» dissi. «Mi sta derubando.»

«Vuoi dire carità. Praticamente ti sto regalando cinquanta dollari.»

«Mostruoso» dissi. «Oltraggioso.»

Cinque minuti dopo, avevo rifatto la strada ed ero al Jim's Place. Lui stava pulendo bicchieri dietro il banco. Il suo saluto era sempre uguale.

«Salve! Come va il lavoro al conservificio?»

Mi sedetti, tirai fuori il rotolo di banconote e le contai di nuovo.

«Un bel rotolo, eh?» sorrise.

«Quanto ti devo?»

«Perché? Nulla.»

«Sicuro?»

«Ma se non mi devi neanche un centesimo!»

«Lascio la città» dissi. «Torno alla base. Pensavo di doverti qualche dollaro. Sto saldando tutti i miei debiti.»

Fece un sorriso in direzione dei soldi.

«Mi piacerebbe che mi dovessi la metà di quei soldi.»

«Non sono tutti miei. Un po' sono del partito. Per le spese di viaggio.»

«Oh. Dai un party d'addio, eh?»

«Ma no. Sto parlando del Partito Comunista.»
«Vuoi dire i russi?»
«Chiamalo come ti pare. Me li ha mandati il commissario Demetriev. Per le spese di viaggio.»
Fece tanto d'occhi. Fischiò e posò l'asciugamani.
«Tu, un comunisto?» disse, facendo rima con tristo.
Mi alzai e andai alla porta, scrutai accuratamente da una parte e dall'altra della strada. Tornando indietro annuii.
Sussurrai: «C'è nessuno là dietro?».
Scosse il capo. Mi sedetti. Ci guardavamo fisso l'un l'altro in silenzio. Mi bagnai le labbra. Lui lanciò un'occhiata verso la strada e poi mi guardò di nuovo. I suoi occhi spiavano dentro e fuori. Mi schiarii la gola.
«Sai tenere la bocca chiusa? Mi sembri uno di cui ci può fidare. Sì?»
Deglutì, e si fece più vicino. «Sta' tranquillo» dissi. «Sì, sono un comunista.»
«Russo?»
«In teoria, sì. Dammi un frappé al cioccolato.»
Era come se uno stiletto gli fosse stato piantato tra le costole. Aveva paura di distogliere lo sguardo. Anche quando si voltò per mettere la bevanda nel frullatore mi guardò di traverso. Ridacchiai e mi accesi una sigaretta.»
«Siamo del tutto innocui» risi. «Del tutto.»
Non disse una parola.
Bevvi lentamente il frappé, con una pausa di tanto in tanto, per ridacchiare. Una piccola, allegra risata mi uscì dalla gola.
«Davvero! Siamo del tutto umani. Del tutto!»
Mi guardava come se fossi un rapinatore.
Risi di nuovo, allegro, con un trillo.
«Demetriev lo verrà a sapere. Nel mio prossimo rapporto gliene parlerò. Il vecchio Demetriev ruggirà con la sua barbona nera. Eccome se ruggirà, quel lupo nero d'un russo! Davvero, però: siamo del tutto innocui. Te lo garantisco: del tutto. Davvero, Jim, davvero, non lo sapevi?»
«No.»
Trillai di nuovo.
«Ma certo! Ma certo che lo sapevi!»

Mi alzai e risi con molta umanità.

«Oh, devo dirglielo al vecchio Demetriev. E come ruggirà con quel suo barbone nero, quel nero lupo russo!»

Ero davanti al chiosco delle riviste.

«E che cosa legge stasera la borghesia?»

Non disse nulla. Un'aspra ostilità si era tesa tra noi, come una corda; stava lì a pulire bicchieri come una furia, uno dopo l'altro.

«Mi devi pagare la bibita» disse.

Gli diedi un biglietto da dieci dollari.

Il registratore di cassa crepitò. Lui tirò fuori il resto e lo sbattè sul banco.

«Ecco qua! Altro?»

Presi su tutto fuorché un quartino. Era la mia mancia abituale.

«Hai dimenticato un quartino» disse.

«Oh no!» sorrisi. «Quello è per te: la mancia.»

«Non la voglio. Tieni i tuoi i soldi.»

Senza una parola, limitandomi a sorridere con disinvoltura, con aria smagata, me li misi in tasca.

«Il vecchio Demetriev, oh se ruggirà, quel lupo nero!»

«Vuoi qualcos'altro?»

Presi tutti e cinque i numeri di «Artists and Models» che stavano sullo scaffale. Nel momento in cui li toccai capii perché ero venuto al Jim's Place con tanti soldi in tasca.

«Questi, prendo questi.»

Si protese sul banco.

«Quanti ne hai presi?»

«Cinque.»

«Te ne posso vendere soltanto due. Gli altri li ho promessi a un'altra persona.»

Sapevo che stava mentendo.

«Allora due, compagno.»

Come uscii sulla strada i suoi occhi si piantarono sulla mia schiena. Attraversai il cortile della scuola. Le finestre del nostro appartamento non erano illuminate. Ah, di nuovo le donne. Ecco Bandini con le sue donne. Le dovevo avere con me nella mia ultima notte che passavo in questa città. Tutt'a un tratto provai quel vecchio odio.

No. Bandini non soccomberà. Mai più!

Feci un fascio delle riviste e le gettai. Atterrarono sul marciapiede, sfogliandosi nella nebbia, con quelle fotografie scure che venivano su come fiori neri. Mi avviai in quella direzione ma mi fermai. No, Bandini! Un superuomo non si arrende. L'uomo forte permette alle tentazioni di stargli addosso in modo da poterle fronteggiare. Quindi mi avviai ancora. Animo, Bandini! Combatti su quest'ultima trincea! Con tutta la mia forza corsi via dalle riviste e procedetti dritto verso casa. Sulla porta guardai indietro. Nella nebbia erano invisibili.

Tristi gambe mi sollevarono su scale cigolanti. Aprii la porta e accesi la luce. Ero solo. La solitudine mi accarezzava, m'infiammava. No. Non quest'ultima notte. Stanotte partirò da conquistatore.

Mi sdraiai. Balzai in piedi. Mi sdraiai. Balzai in piedi. Girellai, come in cerca di qualcosa. In cucina, in camera da letto. Nello stanzino dei vestiti. Sulla porta sorrisi. Andai alla scrivania, alla finestra. Nella nebbia si sfogliavano le donne. Nella stanza io cercavo. Questa è la tua ultima battaglia. Stai vincendola. Continua a combattere.

Ma ecco che mi avviavo verso l'ingresso. E poi giù per le scale. Stai perdendo: combatti da superuomo! Fui soffocato da una nebbia lamentosa. Stasera no, Bandini. Non fare il fesso, non essere un pecorone. Sii granitico in questa lotta!

Ed eccomi di ritorno, con le riviste in pugno. Eccolo che viene avanti, quello smidollato. C'è cascato un'altra volta.

Guardate come sgattaiola nella nebbia con le sue donne senza sugo. Sgattaiolerà con quelle donne di carta senza sugo e coi suoi libri per tutta la vita. E quando finirà lo troveranno ancora in quel suo mondo di sogni bianchi, e sarà lì che vagherà a tentoni nella nebbia di se stesso.

Una tragedia, signore. Una vera tragedia. Un'esistenza da smidollato, signore. E il corpo, signore. Lo abbiamo trovato sotto il lungomare. Sissignore. Una pallottola nel cuore, signore. Sì, suicidio, signore. E che ne facciamo di quel corpo, signore? Per la scienza: buona idea, signore. Al Rockefeller Institute, senza meno. Magari gli sarebbe piaciuto, signore. L'ultimo suo desiderio fondato. Era un grande estimatore della scienza, signore, della scienza e delle donne senza sugo.

Mi sedetti sul divano letto e voltai le pagine. Ah, le donne, le donne.

D'un tratto feci schioccare le dita.

Idea!

Gettai le riviste e corsi a cercare una matita. Un romanzo! Un romanzo completamente nuovo! Che idea! Santo Dio, che idea! Il primo aveva fallito, naturalmente. Ma non questo. Questa sì che era un'idea! Secondo questa nuova idea Arthur Banning non era più favolosamente ricco: sarebbe stato favolosamente povero! Non sarebbe andato in giro per il mondo a bordo del suo panfilo lussuoso, in cerca della donna dei suoi sogni. No! Sarebbe stato il contrario. La donna avrebbe cercato lui! Wow! Che idea! La donna avrebbe rappresentato la felicità; l'avrebbe simbolizzata, e Arthur Banning avrebbe simbolizzato tutti gli uomini. Che idea!

Incominciai a scrivere. Ma nel giro di pochi minuti mi venne la nausea. Mi cambiai d'abito e feci una valigia. Avevo bisogno di un cambiamento di scenario. Un grande scrittore ha bisogno di variazioni. Finito di fare la valigia mi sedetti e scrissi un biglietto d'addio per mia madre.

Cara Donna che mi ha dato la vita:
Le dure vessazioni e perturbazioni di questa sera sono di conseguenza pervenute a uno stadio tale da precipitare me, Arturo Bandini, verso una decisione brobdingnagiana e gargantuesca. Ti informo con la massima chiarezza di ciò. Ergo, ora lascerò te e la tua sempre incantevole figlia (la mia amatissima sorella Mona) per tentare i favolosi usufrutti della mia incipiente carriera in profonda solitudine. Il che significa che stanotte me ne andrò nella metropoli a oriente, la nostra Los Angeles, la città degli angeli. Ti affido alla benigna generosità di tuo fratello, Frank Scarpi, il quale, come si dice, è un buon padre di famiglia (sic!). Non ho un centesimo, ma ti esorto con la più assoluta chiarezza a fare cessare la tua ansia cerebrale riguardo al mio destino, perché veramente esso è nelle mani degli dèi immortali. A capo di tanti

anni ho fatto la sconsolante scoperta che abitare con te e con Mona è deleterio per l'alto e magnanimo proposito dell'Arte, e ti ripeto con la massima chiarezza che io sono un artista, un creatore. Il che è fuori discussione. Pertanto, le goffe invettive contro le elucubrazioni del mio intelletto trovano scarsa fruizione all'interno di quell'egemonia distorta e debosciata che noi poveri mortali, in mancanza di una migliore e più concisa terminologia, chiamiamo casa. Con la massima chiarezza ti dono il mio amore e la mia benedizione, e giuro che sono sincero quando dico, con la massima chiarezza, che non soltanto ti perdono per quello che, in modo così deplorevole, è trapelato stanotte, bensì anche per tutte le altre notti. Ergo, voglio supporre con la massima chiarezza che vorrai corrispondere a questo atteggiamento in modo adeguato. Posso dire in conclusione che ho molto di cui ringraziarti, oh Donna che hai soffiato il soffio della vita nel mio fatidico cervello? Ebbene sì, è così, è così.

Firmato
Arturo Gabriel Bandini

Con la valigia in mano, scesi allo scalo ferroviario. Mancavano dieci minuti al treno di mezzanotte per Los Angeles. Mi sedetti e incominciai a pensare al nuovo romanzo.

Questo volume è stato stampato
nel mese di maggio 1989
presso Offsetvarese s.r.l.
Stampato in Italia - Printed in Italy